시사장내 內外分제

ー가으흥

걷고 이야기하고 먹고 차를 마시고
사람을 만나고 시장에 가는 모든 것.
뺨에 스치는 바람을 느끼고 시끄러운 자동차소리를 듣고
친구와 악수를 하면서 감촉을 전하는 것, 이 모든 것이 수행이며 만행이다.
순간 순간 우리의 마음을 열어주는 모든 것 -
이것이 바로 만행이다.

For someone who practices strongly,
even walking, eating, drinking tea, meeting friends,
peeling a ripe persimmon, using the toilet,
walking through the busy market,
feeling the sudden autumn wind on one's face,
watching a passing car on the busy city street -
all of these moments are our practice,
or 'man haeng.'

강한 수행자에게는 걷고 먹고 차를 마시고
사람들을 만나고 시장에 가는 것,
잘 익은 감을 깎고 화장실을 쓰고
붐비는 시장을 지나는 것, 이 모든 것이 수행이며 명상이다.
-순간 순간 우리의 마음을 깨우는 모든 것-
이것이 바로 만행이다.

For someone who practices strongly,
even walking, eating, drinking tea, meeting friends,
peeling a ripe persimmon, using the toilet,
walking through the busy market,
feeling the sudden autumn wind on one's face,
watching a passing car on the busy city street-
all of these moments are our practice,
or 'man haeng.'

萬行

萬行

만행
하버드에서
화계사까지

2

열림원

만행 · 하버드에서 화계사까지 2

1판 1쇄 발행 1999년 11월 5일
1판 8쇄 발행 1999년 12월 20일

지은이/현각
펴낸이/정중모
펴낸곳/도서출판 열림원
주간/정은숙
편집/김이금 · 최서영 · 강삼연
영업/하광석 · 김석현 · 도승철 · 경재욱 · 박진석
관리/김명희 · 서성임
디자인/김진경 · 최인경
등록/1980년 5월 19일(제1-124호)
주소/서울시 종로구 무악동 63-6
전화/733-5045, 735-9100
팩시밀리/735-0014
하이텔 · 천리안 · 유니텔 ID/yolimwon
인터넷/http://www. yolimwon. com
E-mail/editor@yolimwon. com

*책값은 뒤표지에 있습니다.

ISBN 89-7063-208-5 03810
ISBN 89-7063-206-9 03810(전2권)

누구든지 내게 오는 자가 자기 부모와 아내와 자녀와 형제 자매, 심지어 자기 생명보다 나를 더 사랑하지 않으면 내 제자가 될 수 없다. 그리고 자기 십자가를 지고 나를 따르지 않는 사람도 내 제자가 될 수 없다.

— 누가복음 14장 26절 ~ 28절

유리하다고 교만하지 말고, 불리하다고 비굴하지 말라. 무엇을 들었다고 쉽게 행동하지 말고, 그것이 사실인지 깊이 생각하여 이치가 명확할 때 과감히 행동하라. 벙어리처럼 침묵하고 임금처럼 말하며, 눈처럼 냉정하고 불처럼 뜨거워라. 태산 같은 자부심을 갖고, 누운 풀처럼 자기를 낮추어라. 역경을 참아 이겨내고, 형편이 잘 풀릴 때를 조심하라. 재물을 오물처럼 볼 줄도 알고, 터지는 분노를 잘 다스려라. 때로는 마음껏 풍류를 즐기고, 사슴처럼 두려워할 줄 알고, 호랑이처럼 무섭고 사나워라. 이것이 지혜로운 이의 삶이니라.

— 잠보장경 제3:4 – 436상

萬行
만행
하버드에서
화계사까지
②

차례

나는 한국 문화에 빚진 사람

1991년 9월 나는 하버드 대학원에 다시 복학했다.

나의 여자친구는 내가 미국으로 돌아오자마자 내 마음상태를 금방 알아차렸다. 이미 하버드를 졸업하는 대로 한국으로 다시 갈 것이라고 결심했지만 그녀에게 털어놓지 않았는데 그녀는 이미 여자의 육감(?)으로 눈치챈 듯했다.

나는 한국이 그리워 견딜 수가 없었다. 또 한국 사찰에서의 수행생활도 잊혀지지 않았다. 학교에 복학한 후 젠센터를 나와 아파트를 따로 하나 빌려 살았는데 방에 큰 석굴암 불상 사진을 걸어놓기도 했다.

어느 날 하버드에서 미술사를 전공하는 교수님 한 분이 우연히 내 아파트에 왔다가 그 사진을 보시더니 너무 아름답다며 감탄사를 연발했다. 그는 한국 미술을 처음 접했다며 이렇게 훌륭한지 몰랐다고 기회가 되면 한국에 가보고 싶다고까지 하셨다. 그는 미술을 보는 안목이 세계적인 분으로 하버드 안에서도 명성이 높았다.

나는 아파트 근처에 있는 한국 가게를 수시로 들락거렸다. 김치, 깍두기, 김 등 각종 반찬을 사다 먹었다. 내가 그 가게에 들어갈 때마다 주인이나 손님들은 흘끗흘끗 나를 쳐다보았다. 한국 가게 손님들 대부분은 한국인들이었는데 웬 껑충한 미국인이 들어와서 김치, 고추장 등 매운 것을 사가니까 매우 신기한 모양이었다.

내가 가장 좋아하는 한국 음식은 호박죽이었는데 인스턴트 가루이긴 했지만 틈날 때마다 사다가 만들어 먹었다. 친구들에게도 가끔 해주었는데 참 좋아했다. 돈이 좀 생기면 케임브리지 젠센터 옆에 있는 한국 식당에 가서 된장찌개, 돌솥비빔밥을 사먹곤 했다. 그러면서 한국에 대한 향수를 달래곤 했다.

그리고 빼놓을 수 없는 것. 나는 한국에 있을 때 한국의 '뽕짝'에 완전히 반해버렸다. 고속도로 휴게소, 택시 안, 편의점 가게에서 그런 가락의 노래들을 자주 들었는데 나중에서야 나는 그것을 '뽕짝'이라고 부른다는 것을 알았다.

그 흐느적거리는 가락이 너무 좋아서 테이프 몇 개를 사갔다. 가사도 모르는 채 그냥 가락만 듣고 있어도 마냥 좋았다. 미국에 돌아가서도 운전할 때나 청소할 때마다 그 테이프를 틀어놓았다. 미국인 친구들도 아주 재미있어했다. 심지어 자기들도 듣겠다며 복사를 해간 친구들도 있다.

뽕짝은 아주 순수한 음악이라고 생각한다. 어떤 것은 좀 슬프기도 했지만 어떤 것은 아주 기분이 좋아지게도 했다.

나는 나중에 한국에 살면서 한국인의 '한'(恨)이라는 정서에 대해 듣게 됐는데 그 한이라는 말에 담긴 한국인들의 마음이 내 가슴에도 깊이 전해져왔다. 어쨌든 뽕짝이 한의 정서와도 일맥상통한다는 얘기 듣고 내가 왜 그렇게 뽕짝에 반했는가, 신비한 생각이 들었다.

나는 그렇게 한국을 그리워하면서 시간을 보냈다.

미국에 돌아온 직후 마음속에 큰 다짐 하나를 했었다. 바로 한국말을 배우자는 것이었다. 하버드에 복학하자마자 한국어 강좌에 등록을 했다.

교수님은 김남희 선생님이신데 하버드 대학의 유명한 에드워드 와그너 교수의 부인이셨다. 와그너 교수는 하버드에, 아니 미국학계에 처음으로 한국학을 소개하신 분이다. 와그너 교수는 당시 하버드에서 동아시아 문화와 문학을 가르치고 계셨다.

내가 신청한 한국어 강의는 월요일부터 금요일까지 매일 수업이 있는 집중 강의였다. 수강생은 약 40명 가량 됐는데 미국인은 나와 다른 여학생 단 두 사람뿐이었다. 나머지는 모두 재미교포 2세, 혹은 3세들이었다. 그들은 완전히 미국인이었다. 내가 한국에서 만난 한국 사람들과는 좀 달랐다. 자유분방했고 어른들 앞에서도 거리끼는 게 없었다. 완전히 미국 신세대였다. 겉은 한국인이었지만 속은 미국 사람 같다고나 할까.

나는 사실 한국어 강의를 신청하면서 말은 물론이고, 내심 한국 사람들을 많이 만날 수 있다는 기대에 부풀어 있었다. 그런데 내가 수업시간에 만난 한국인들은 나처럼 까막눈들이 많았다. 어떤 학생들은 듣는 것은 좀 되는데 쓰기나 말하기는 엄두도 못 냈다.

학생들 중에 한국말을 배우겠다는 강한 의지를 가진 사람은 몇 명 안 됐다. 대부분 학생들은 그저 부담이 안 가는 가벼운 강좌를 듣겠다는 의도로 수강하고 있었다. 또 일부 학생들 중에는 부모님의 간청에 못 이겨 억지로 배우는 사람도 있었다. 수강생들 대부분은 아예 한국에 가본 적이 없다거나 갔더라도 어릴 때 잠깐 다녀와 한국에 대한 기억이 전혀 없었다.

내 눈에 비친 그들은 이목구비는 한국인이었지만 전형적인 미국인이 되고 싶어 '노력'하는 친구들이 많았다. 미국 스타일을 지나치게 좇는다든지, 미국 젊은이들 사이에서 유행하는 것은 무엇이든 곧바로 따라하고 싶어한다든지, 부모와 할아버지·할머니 세대의 말은 무조건 무시하려고 한다든지 하는 모습들이 엿보였다. 수업시간 빼고는 그들이 하는 대화는 한국말이 한마디도 없었다. 미국의 속어와 비어들을 섞어가며 오직 영어만을 썼다.

나중에 알게 된 사실이지만 한국 교포들 중 많은 학생들이 정체성의 혼란을 겪고 있었다. 마치 몸에 큰 구멍이라도 뚫린 듯한 상실감을 갖고 살고 있었다. 좀 슬펐다. 다만 나는 그들이 한국어 강좌에 올 때마다 아주 편안한 느낌을 갖는 듯해서 기분이 좋았다. 아마 교포 자녀라는 동류의식에서 비롯된 것으로 생각되어졌다. 마치 한가족이라는 느낌이 들 정도로 수업 분위기가 화기애애했다. 여느 강좌에서 보여지는 경쟁이라든지 하는 것이 보이지 않았다.

그들은 대부분 예일대 법대, 하버드 법대나 의대 등 내로라 하는 대학을 다니는 수재들이었는데 한국말을 배우는 시간만큼은 어린 아이로 돌아오는 듯했다.

어쨌든 나는 1년 동안 하버드를 한국말 배우는 재미로 다녔다고 해도 과언이 아니다. 철학 공부는 더이상 흥미가 나지 않았다. 일단 입학은 했으니 학위를 따야 한다는 의무감과 부담감만 있을 뿐이었다.

김남희 교수님은 수업시간에 한국에 대한 다큐멘터리 영상물과 사진을 많이 가져와 우리들에게 보여주셨다. 그리고 한 달에 한 번씩은 학교 안이나 밖에서 한국 음식을 먹는 행사도 마련하셨다. 학생들 각자가 집에서 준비해오는 경우도 있었지만 김 교수님이 직접 미역국, 된장국, 두부, 잡채 등을 만들어와서 우리를 먹이기도 하셨다.

교수님은 학생들에게 "조상의 나라를 잊으면 안 된다. 어떻게 그렇게 자기 나라에 대해 아무것도 모를 수가 있느냐"면서 그들에게 한국에 관한 어떤 것이라도 가르쳐주고 싶어하셨다.

어느 날 교수님이 "같이 음식을 만들어 먹을 테니 준비를 해오라"고 하자 남학생 한 명이 손을 들었다. "그건 여학생들만 하면 되지요?" 순간, 교실은 웃음바다가 되었다. 그 남학생은 한국말 수업 때 공부도 열심히 하고 성격도 좋아 인기가 좋았다. 교수님도 함께 웃으시더니 이렇게 받아 넘기셨다.

"아니, 평소에는 완전히 미국 사람인 것처럼 행동하더니 갑자기 전형적인 한국 남자가 되었네요."

그러자 다시 웃음바다가 되었다. 학생들이 종이를 뭉쳐 그에게 던지면서 놀려대기도 했다. 웃음이 가라앉자 교수님이 그에게 물었다.

"학생은 한국 남자예요? 미국 남자예요?"

진지한 선생님의 물음에 그 남학생 얼굴이 빨개졌다.

교실 안에 잠시 침묵이 흘렀다.

선생님은 우리들을 둘러보면서 이렇게 말했다.

"바로 이게 우리들의 고민이지요."

사실 외국인인 내 입장에서 보더라도 좀 이상할 정도로 그들은 한국의 문화와 정신에 대해 아무것도 몰랐다. 심지어 나보다도 관심이 없었다. 어떤 학생들은 애써 잊으려 하거나 의도적으로 소홀하게 여기기도 했다. 한국에 관한 한 그들은 나와 똑같은 외국인이었다.

나는 그들과의 경험을 통해 이런 다짐을 했다. 내게 그렇게 소중하게 다가온 한국 문화, 그리고 숭산 큰스님이 가르쳐주신 한국의 정신, 이것이 얼마나 소중한 것인지 그들에게 알려주리라. 이미 내 삶은 큰스님을 통해 구원을 얻었으므로 나는 한국 문화에 일종의 빚을 진 사람이라는 생각까지 들었다.

하버드 마사토시 지도교수

드디어 대학원 석사 코스를 마치고 논문을 쓸 차례였다. 이미 지도교수인 마사토시 교수와 함께 의논을 해 한국의 불교와 숭산 큰스님에 대한 논문을 쓰기로 했기 때문에 준비에는 별 어려움이 없었다.

나에게는 아주 매력적인 작업이었다. 나는 큰스님이 20여 년간 미국 전역에서 행하신 영어 법문을 죄다 모아 녹음기로 녹취를 했고 그의 생애와 사상에 관한 모든 자료를 모았다.

그 무렵 아주 입맛이 당길 만한 제의가 들어왔다.

하버드 종교학과 학과장인 액크(Eck) 교수가 '미국에 일고 있는 새로운 종교의 등장에 관한 연구'를 시작하는데 내가 한국 불교에 관심이 있다는 소문이 퍼졌는지 나를 찾은 것이었다.

그녀는 미국 사회에서 영향력 있는 종교학자와 철학자로 명성이 높은 분이었는데 비파사나 명상수행을 하는 불교 신자이기도 했다.

액크 교수는 인도의 문화와 문명. 철학에 대해서도 박식해 미국에서 손꼽히는 인도 전문가였다.

교수님의 계획은 미국 회사로부터 연구 지원비를 받아 미국내 새로운 종교현상에 대해 연구를 하고 그 자료를 다 모아 책과 CD로 만들어 보급하겠다는 것이었다.

나는 인터뷰를 거친 후 교수님 밑에 한국 불교를 연구하는 연구원으로 채용되었다. 먼저 논문부터 마무리해놓고 그녀의 작업에 참여하기로 했다.

몇 달 후 마침내 논문을 써서 마사토시 교수께 드렸다. 교수님은 아주 만족해하셨다. 그리고 나에게 박사과정에 들어가라고 강력하게 권하셨다. 내가 아주 훌륭한 학자가 될 것이라고 격려해주었다. 구구절절이 고마운 말씀이지만 나는 학자 생활이란 게 내가 걸어야 할 길과는 다르다는 것을 일찍이 알고 있었다. 물론 한때는 교수가 되겠다는 생각도 했다.

그러나 나는 정중하게 교수님의 제안을 거절했다. 교수님은 실망을 감추지 못하셨다. "언젠가 마음이 바뀌면 나에게 찾아오라"는 말씀도 잊지 않으셨다.

나는 일단 침을 꿀꺽 삼키고 말문을 열었다. "한국 불교가 이 세상에서 몇 안 되는 귀중하고 소중한 문화라고 느끼고 있으며 죽을 때까지 공부하며 살고 싶습니다. 그러나 학자가 아니라 수행자로서 살기로 이미 마음을 먹었습니다. 오직 이 길밖에 없다는 생각이 매일매일 듭니다."

교수님은 잠시 나를 쳐다보더니 담배 한 대를 피워 무셨다. 추억에 잠긴 듯 아무 말씀이 없다가 이윽고 이렇게 말씀하셨다.

"나 역시 젊었을 때 스님이 되고 싶었단다. 솔직히 말하면 요즘도 때때로 그런 생각을 하곤 한다. 굳이 후회랄 것까진 없지만 내가 수행자의 길을 걸었더라면 어땠을까 하는 아련한 미련 같은 건 있지. 수행자의 길은 어렵겠지만 아주 훌륭한 길이라고 생각한다. 너의 용기있는 결정이 존경스럽다."

교수님은 정말 솔직하게 나이 어린 제자 앞에서 당신의 심경을 털어놓으셨다. 교수님의 겸손함과 진솔함에 고개가 숙여졌다. 그러나 한편으로는 좀 슬퍼졌다. 마사토시 교수는 하버드 내에서 가장 훌륭한 선생님으로 존경받고 있는 분이며 학계에서는 이미 거봉이 된 분이었다. 몇 년 후면 정년퇴직을 해야 할 나이이다. 그러나 그는 항상 피곤해 보였다. 평생 끝도 없는 논문 마감과 산더미처럼 쌓여 있는 과제에 시달려 얼굴에는 깊은 주름이 패어 있었다. 내가 스님이 되고 싶다는 말씀을 드렸을 때 뜻밖에 교수님으로부터 '나도 한때 스님이 되고 싶었다'는 말이 돌아오자, 나는 그가 나를 이해해 주고 있다는 동질감보다 왠지 모르는 허전함이 밀려왔다.

마사토시 교수는 모든 훌륭한 가르침을 다 알고 있었다. 저작도 엄청나게 많이 남겼고 훌륭한 제자들을 많이 길러냈다. 하지만 이러한 작업 때문에 정작 자기 마음, 자기 자신을 공부할 시간은 없었던 것이다.

교수님은 나에게 많은 말씀을 하지 않으셨지만 그의 얼굴에는 얼핏 지난 생에 대한 아쉬움 같은 게 엿보였다. 그것이 나를 슬프게 한 것이다. 저토록 모든 사람들로부터 추앙받는 노교수가, 이제 모든 것을 이뤄냈으리라는 충족감에 가득 차 있어야 할 나이에 아직도 뭔가 아쉬움에 한쪽 가슴이 뻥 뚫린 듯한 허전함을 갖고 계시다는 사실 앞에서 마음이 아팠다.

나는 교수님께 고개 숙여 깊이 인사를 하고 연구실을 나왔다. 그리고 왠지 그날의 만남이 교수와 제자로서는 마지막이 될 것 같다는 예감이 들었다.

내가 스님이 되면 교수님과 나는 이제 서로 다른 길을 걷는 것이다. 물론 교수님께서는 지금까지 걸어오신 길 — 학문하는 사람이 걷는 예측 가능한 길 말이다 — 을 계속 가실 것이지만 당신이 걸어온 길을 따라 걷던 나는 이쯤에서 헤어져야 한다. 나는 학문이 아닌 도(道)의 길을 가려 하는 것이다.

뭐라고 딱 꼬집어 설명할 수는 없지만 그때 나는 좀 심란했다. 교수님은 내게 불교로 가는 문을 처음 열어주신 분이다.

숭산 큰스님을 만나기 전 그를 먼저 만났다. 어떤 의미에서는 그가 나의 첫번째 스승인 셈이다. 마음 한구석에서 그로부터 계속 가르침을 받고 싶었지만 이제 더이상 그가 나를 가르칠 수 없음을 깨달은 것이다.

그로부터 한 6, 7년쯤 지났을까. 재작년에 미국 프라비던스 홍법원 주지로 있을 때 아주 슬픈 소식을 들었다. 마사토시 교수님이 큰 교통사고를 당했다는 것이었다. 그것도 한국에서.

교수님은 불교국제회의 참석차 한국에 오셨다가 미국에 가기 직전 불국사 석굴암 관광을 가셨다고 한다. 워낙 짧은 일정으로 한국에 오셨던 교수님은 미국에 돌아가는 일이 급했는데 한국 스님과 교수님들이 하도 권해서 따라나서신 모양이었다. 나는 교수님이 왜 그 관광에 동행했는지 모르겠으나 아마 한국 불교에 대한 당신 자신의 부족함을 메우고 싶은 생각이 있었다고 본다.

교수님은 당신께서 한국 불교에 대해 문외한이라는 사실에 꽤 부끄러워하고 계셨다는 것을 내가 잘 알고 있었기 때문이다. 하버드에서 공부할 때 내가 한국 불교에 대해 여쭈어보면 그는 제대로 답을 하는 경우가 별로 없었다. 그러면서 교수님은 "아이고, 나는 바보야. 한국 불교도 제대로 모르면서 어떻게 불교를 가르치는 교수 노릇을 하고 있나"하면서 농반진반으로 푸념을 하셨다.

이유야 어쨌든 간에 그는 불국사 관광 때문에 한국 체류를 잠깐 연장했고 결과적으로 그것은 큰 사고로 이어졌다. 한국인 교수님이 운전을 하셨던 모양인데 약간 미숙했던 모양이었다. 불국사에서 석굴암까지 가는 길이 워낙 꼬불꼬불한 데다 마주오던 큰 관광버스가 회전을 하면서 교수님 일행이 탄 승용차를 미처 보지 못하고 덮친 것이었다. 다행히 버스를 피하기는 했지만 운전기사는 핸들 통제력을 완전히 잃어 차가 옆으로 처박혔다고 했다.

불행중 다행으로 다른 사람들은 경상을 입었다. 그러나 마사토시 교수는 한 달간이나 한국 병원에서 치료를 받고 겨우 몸을 운신할 정도로 회복이 된 후에야 미국으로 돌아가셨다고 한다. 프라비던스에서 만난 동창생들에 따르면 교수님께서 지금까지도 그때 그 상처 때문에 고생하신다고 하니 마음 아프기가 이루 말할 수 없다. 그 사고 때문에 정년까지 앞당기셨다고 하니 말이다.

출가를 결심하다

나는 마침내 하버드를 졸업했다.

하버드의 졸업식은 아주 대단하다. 전세계 사람들이 졸업식에 온다. 졸업생과 가족 모두에게 하버드의 졸업식은 매우 뜻깊은 가족 행사이다.

3백여 년을 쉬지 않고 매년 치러진 그 졸업식에 참여한다는 것만으로도 미국인들은 자신이 지금 미국 역사의 중요한 한 페이지를 장식하고 있다는 자랑스러움을 갖는다. 졸업식장에는 미국은 물론 국내외 저명 인사들이 한자리에 모인다.

졸업식사는 언제나 당대에 가장 영향력 있는 인물이 하기 때문에 세계적인 뉴스거리가 된다. 하버드의 졸업식에 참가하는 일은 이처럼 의미 있는 일이고 남들의 부러움을 사는 일이기 때문에 우리 부모님 역시 매우 좋아하셨다.

졸업생 가족들에게는 단지 두 장의 무료 티켓만이 제공되기 때문에 참석을 원하는 사람들은 티켓을 사야 한다. 서로 티켓을 사려고 난리이기 때문에 표는 일찌감치 매진된다.

그런데 문제가 하나 생겼다. 나는 이미 석사 논문을 제출한 상태였기 때문에 졸업식까지 무려 3주일이나 기다려야 했다. 다른 친구들은 논문 수정작업 때문에 그것도 여유 있는 시간이 아니었지만 이미 지도교수로부터 통과를 받은 나에게는 긴 시간이었다.

나는 그즈음 참선수행에 완전히 몰두하고 있었다. 한순간이라도 헛되이 낭비하고 싶지 않았다. 그래서 논문이 통과되자마자 프라비던스 젠센터로 달려가 한 달간 용맹정진에 들어가려는 계획을 세워놓고 있었다. 그렇기 때문에 졸업식을 포기할 수밖에 없었다.

누구든지 나를 따라오려거든, 자기를 버리고 제 십자가를 지고 나를 따르라. 자기 생명을 구하고자 하는 사람은 잃을 것이며 나를 위해 자기 생명을 버리는 사람은 얻을 것이다. 사람이 온 세상을 얻고도 자기 생명을 잃으면 무슨 유익이 있겠느냐(마태복음 17장 25절 ~ 27절).

예수님의 이 말씀은 어렸을 때부터 나를 진리에 대한 사랑으로 가득 차게 했다. 예수님의 그 말씀을 들을 때마다 내 가슴에는 불꽃이 타올랐다. 예수님은 나를 항상 진리의 길로 이끄는 등불이었다.

하지만 현대에 들어와 예수님의 가르침은 인간들에 의해 오염되고 있다. 인간의 좁은 소견으로 예수님이 납치를 당했다고나 할까. 예수님 가르침을 오직 자신만이 제대로 알고 있고 제대로 된 길을 걷고 있다고 믿는 인간들에 의해 교회라는 집단, 종교라는 틀, 혹은 제도에 갇혀버렸다.

현실은 그렇다 하더라도 예수님의 살아 있는 가르침에 따라 평생을 살겠다는 나의 신념은 꺾이지 않았다. 그리고 이것이 나를 철학의 길로, 불교의 가르침으로 그리고 궁극적으로는 출가에까지 이르도록 한 것이다.

어떤 의미에서 보면 나는 부처님 때문에만 출가한 것이 아니라 예수님 때문에 출가한 것이라고 말할 수 있다. 예수님께서는 "진리를 찾고 싶다면 부모와 형제 자매를 떠나 십자가를 지고 나를 따르라"고 하셨다. 이 말은 내 잠재의식 속에 깊이 남아 떠나질 않았다. 나는 예수님 말씀대로 가족이라는 둥지 안에서는 절대로 진리를 찾을 수 없음을 일찌감치 알고 있었다.

아무도 두 주인을 섬길 수 없다. 그렇게 되면 한편을 미워하고 다른 편을 사랑하든가, 아니면 한편에게는 충성을 다하고 다른 편은 무시하게 될 것이다. 너희는 신과 재물을 함께 섬길 수 없다. 그러므로 내가 너희에게 말한다. 너희 생명을 위해 무엇을 먹을까, 무엇을 마실까, 몸을 위해 무엇을 입을까 걱정하지 말아라. 생명이 음식보다 더 중요하고 몸이 옷보다 더 중요하지 않느냐. 공중의 새를 보아라. 새는 씨를 뿌리거나 거두지도 않고 곳간에 모아 들이지도 않는다. 하늘에 계시는 너희 아버지께서 새를 기르신다. 너희는 새보다 더 귀하지 않느냐. 너희 중에 누가 걱정한다고 해서 자기 키를 한치라도 더 늘릴 수 있느냐. 들의 백합화가 어떻게 자라는가 보아라. 그것은 수고도 하지 않고 옷감을 짜지도 않는다. 그러나 내가 너희에게 말하지만 솔로몬이 온갖 영광을 누렸으나 이 꽃만큼 아름다운 옷을 입어보지 못하였다. 그러므로 너희는 무엇을 입을까, 무엇을 마실까, 무엇을 입을까 하고 걱정하지 말아라(마태복음 6장 24절 ~ 34절).

지금까지 살아오면서 나는 그런대로 성공적인 삶을 살아왔다. 아니 운이 아주 좋았다. 마음만 먹으면 할 수 없는 일이란 없었으며 이제 조금만 더 노력하면 소위 말하는 인생의 탄탄대로가 내 앞에 펼쳐져 있었다. 하버드 졸업식이란 내 부모와 친구들에게 그런 내 삶의 하나의 상징이 될 것이다. 이런 어려운 졸업장을 거머쥔 나를 자랑스럽게 여길 것이다. 특히 부모님은 얼마나 뿌듯해하실까.

그러나 다른 한편으로는 오직 졸업식 행사에 참여하기 위해 소중한 수행의 경험을 놓칠 수는 없다는 생각이 들었다. 앞으로 남은 3주 동안 단지 졸업식 참여만을 위해 허송세월해야 하는가. 그동안은 할 일이 거의 없다. 더군다나 그 당시 나는 집중적인 수행을 해야 한다는 생각으로 불타고 있었다. 나는 이 길에 나 자신을 던질 필요가 있다고 생각했다.

더이상 읽고 생각하고 계산하는 일은 그만두자. 나는 위대한 숭산 대선사를 만나지 않았던가. 그는 살아 있는 스승이고 그의 삶에서 풍겨나오는 엄청난 지혜는 결국 고통에 신음하는 나를 자유롭게 하지 않았는가.

지금은 시작이다. 논문 제출을 마쳤으니 이제 액크 교수 보고서를 위한 연구를 하기 전에 집중적인 용맹정진 수행을 통해 큰스님의 가르침을 내 것으로 만들어야 한다.

나는 이렇게 마음을 먹었다.

몇 년 전 내가 예일 대학을 졸업할 때 우리 식구들 전부가 그 졸업식에 참석해 축하해주었다. 폴이 드디어 예일 대학 동문이 되었다며 부모님, 누나, 형, 동생들이 얼마나 기뻐했던가. 지금 생각해도 미소가 떠오른다. 그 화려했던 날의 캠퍼스.

그러나 대학 졸업 후에도 내 마음속엔 늘 인생에 대한 허무함과 진리에 대한 갈증으로 가득하지 않았나. 그리고 결국 숭산 큰스님을 통해 해답을 얻지 않았나.

나는 가족들 생각이 날 때마다 예수님 생전의 일화를 상기했다.

예수님은 늘 사람들에 둘러싸여 아주 바쁜 날을 보내고 있었다. 그런데 어느 날, 한창 강연을 하시는데 어머니와 형제들이 밖에 와서 사람을 시켜 예수님을 불렀다. "선생님, 어머니와 형제분들이 밖에서 선생님을 찾고 계십니다." 그때 예수님은 일말의 주저도 없이 "내 어머니와 형제가 누구냐?" 하고 되물으셨다. 그리고 둘러앉은 사람들을 보시며 "보아라, 이들이 내 어머니며 내 형제들이다. 누구든지 하느님의 뜻을 따라 사는 사람이 내 형제와 자매이며 어머니이다"라고 말씀하셨다.

바로 그렇다. 이 땅에 부모, 형제, 자매 아닌 이가 누가 있는가. 이 세상에 고통받고 있는 모든 사람들, 보스턴 지하철 역에서 신문지 한 장 깔아놓고 잠자는 사람들, 거리의 거지들, 삶의 어둠 속에서 한 줄기 빛을 찾아 방황하는 혼란에 빠진 남녀들, 거리의 택시 기사들, 뉴욕의 변호사 사무실에서 일하고 있는 동안 내 능력으로는 도무지 도울 수 없었던 그 수많은 노동자들, 식당 웨이터들, 배달부들, 그리고 변호사 자신들. 이 모든 사람들이 내 부모이고 형제들이었다. 내 어머니이고 아버지였다.

그것이 바로 부처님과 예수님 가르침 아닌가. 그것이 바로 쇼펜하우어, 에머슨, 키르케고르, 파스칼, 워즈워스, 셸리, 키츠, 휘트먼 등등 그 수많은 성인들의 가르침 아닌가. 그것이 바로 음악의 성인 베토벤, 구스타프 말러의 가르침 아닌가.

나에게는 오직 하나의 길만 있을 뿐이다. 그것은 바로 깨달음을 얻어 다른 사람들을 고통에서 건져내는 일이다.

나는 결국 부모님께 전화를 해서 졸업식에 참석할 수 없다고 통보(?)했다. 부모님은 완전히 놀라 자빠지셨다. 나에게 다시 생각해볼 수 없느냐, 돌이킬 수 없느냐고 몇 번이나 물으셨지만 나는 흔들리지 않았다. 만약 진리를 찾겠다는 마음을 갖고 있으면 딴생각 하지 말고 똑바로 가야 한다. 속으로 이렇게 다짐했다.

부모님께 전화를 건 바로 그 다음날 나는 보스턴으로 갔다. 그리고 프라비던스 젠센터 옆에 있는 다이아몬드 힐 젠선방에서 한 달 동안 용맹정진에 들어갔다. 내 남은 인생에 큰 획을 긋는 귀중한 결정을 앞두고 나는 좀더 강해져야 했다.

수행은 생각보다 너무 힘들었다. 그때까지 살아오면서 이토록 어려웠던 시간이 있었나 하는 생각이 들 정도였다. 나는 아주 빡빡하게 하루 일정을 짰다. 매일매일 1천80배를 하고 열네 시간씩 참선수행을 하는 것이었다. 식사는 아침과 점심에 생식가루만 먹기로 했다. 자다가도 밤에 일어나 절을 하고 참선수행을 했다. 그때는 초여름이라 날씨가 점점 더워지고 있었다.

수행 첫 주는 아주 힘들었다. 아침에 침대를 빠져 나올 수가 없는 날도 있었다. 내 머릿속으로는 부모님 얼굴이 계속 떠올랐고 지금

'도대체 무엇을 하고 있는 거야, 왜 사서 이 고생을 하는 거야' 하는 의문이 나를 괴롭혔다. 형제들과 친구들의 얼굴도 떠올랐다.

그러나 무엇보다 나를 힘들게 한 것은 바로 옆 프라비던스 젠센터에 살고 있는 여자친구였다. 나는 그녀가 매우 힘들어하고 있다는 것을 이미 알고 있었지만 용맹정진 동안 묵언수행을 했기 때문에 그녀와 전화통화조차 하지 않았다. 그녀는 내가 출가를 하고 싶어한다는 것을 알고 있었다. 우리는 그동안 많은 시간을 그 문제에 대해 얘기했다. 그녀는 내 마음을 바꾸려고 무진 애를 썼다. 그리고 함께 수행하는 도반을 만났으니 얼마나 행복한 일이냐면서 우리는 같이 수행하며 남들을 돕는 행복한 삶을 살 수 있을 것이라고 얘기하기도 했다. 그러나 그녀 역시 숭산 큰스님의 제자였고 내가 스님이 되고 싶어하는 이유를 너무도 잘 알고 있었기 때문에 고통스러워했다. 그러는 한편 내가 마음을 바꾸기를 바라고 또 바랐다.

첫 주 동안 나는 거의 매일 눈물을 흘렸다. 쉼없이 절을 하면서도 참선하고 앉아 있으면서도 눈물을 흘렸다. 밤에는 어둠 속에서 뒤척였다. 아침이면 베개가 마치 물에 젖은 듯했던 날도 있었다. 어떤 날은 너무 고통스러워 다 때려치우자 결심하기도 했다.

'그래 지금 그만둬도 괜찮아. 이 정도면 충분하잖아. 1주일 정도 했으니 할 만큼 한 거야. 이제 나는 보통 사람들처럼 살면 돼. 여자친구와 함께 행복한 가정을 꾸릴 수 있을 것이고 안정된 직장을 찾아 일하면서 주말이나 휴가 때 젠센터에서 틈틈이 수행을 하면 될 거야. 부모님들은 돌아온 아들을 보며 얼마나 안도의 한숨을 내쉬고 나를 반겨하실까. 그들은 나를 여전히 자랑스럽게 생각할 것이고 나는 그들 어깨에 지워 드린 큰 짐을 내려놓게 하는 효자 노릇도 할 수

있을 것이다……'

그러나 이 모든 의심과 고통 속에서도 수행을 멈추지는 않았다. 거의 2주가 흐르자 내 마음이 서서히 맑아지고 잡생각도 없어지기 시작했다. 마치 아침안개가 햇살에 걷히는 것처럼 모든 의심과 고통들이 사라지기 시작했다. 내 앞에 펼쳐진 길이 보다 명확하게 보였다.

'그래 출가를 하자.'

용맹정진을 마치고 보스턴으로 돌아와 나는 여자친구를 만났다. 그리고는 내 결심을 이야기했다. 물론 그녀는 너무나 큰 충격과 상처를 받았다. 그녀는 내가 기도를 하는 동안 결국은 자기 곁으로 올 것이라 확신하고 있었는데 내가 스님이 되겠다는 결심을 더 굳히고 오자 실망이 이만저만이 아니었다. 그녀는 다시 나를 설득하기 시작했다.

나는 그 여름이 끝나기 전까지 액크 교수에게 보고서를 내야 했기 때문에 수행을 끝낸 뒤 바로 바빠지기 시작했다. 그래서 그녀와 함께 나의 미래를 얘기할 충분한 시간적 여유가 없었다.

하지만 지난 2년 동안 내가 결국엔 스님이 되는 것으로 결론 지을 것임을 이미 알고 있었고, 그녀와 이것에 대해 논의하는 것 자체가 서로에게 도움이 안 된다는 것도 알고 있었다. 사실상 출가에 대해 다른 사람하고 얘기해봐야 나를 더 약하게 하고 서로에게 실망만 더 안겨다줄 것이 뻔하기 때문이었다. 그래서 나는 내 일에 더욱 집중했고 적절한 시기가 되면 적절한 인연이 나에게 다가올 것임을 확신하고 있었다.

큰스님과의 면담

큰스님은 내가 스님이 되고 싶어한다는 것을 훨씬 전부터 알고 계셨다. 하버드를 졸업하기 6개월 전에 프라비던스에서 그를 만난 적이 있었다. 나는 그에게 특별 면담을 신청해놓고 있었다.

나는 지금까지도 그때 그 만남을 잊지 못한다. 그때 나누었던 이야기, 큰스님의 목소리가 어제 일처럼 생생하다. 심지어 그의 방문에 노크했었을 때의 내 심리상태와 노크소리까지도 죄다 기억하고 있다.

내가 방으로 들어섰을 때 큰스님께서는 가부좌를 틀고 아주 편한 자세로 앉아 계셨다. 얼굴은 아주 맑고 빛이 났다. 피부는 마치 아이처럼 부드럽고 깨끗했다.

많은 도반들은 저마다 큰스님과 처음 가진 개인 만남을 추억처럼 이야기한다. 그리고 하나같이 큰스님의 맑고 빛이 나는 어린아이 같은 얼굴, 깊은 눈에 반했노라고 한다. 나 역시 마찬가지였다.

저 얼굴과 몸에서 풍겨나오는 분위기는 하버드나 예일에서 만난 그 어떤 천재적인 철학자의 것과는 차원이 다른 것이었다. 학자들의 얼굴은 노소를 막론하고 찡그려져 있었으며 어두웠다. 그들은 하루 종일 우리에게 진리와 빛을 가르쳤지만 정작 그들은 지옥에 살고 있는 것 같았다. 하지만 큰스님의 가르침은 말이 아니라 저 얼굴, 저 눈, 저 분위기로 그대로 전달되는 것이다.

내가 삼배를 드리자 그는 환한 미소로 나를 반겼다.

"오! 잘 있었어요?"

"예, 큰스님."

그는 나를 가까이 오라고 했다.

"그래, 무슨 질문이 있습니까?"

늘 그렇듯 따뜻하면서도 힘이 넘치는 목소리였다.

"큰스님의 가르침을 새기면 새길수록 삶에 아주 깊은 변화가 옵니다. 수행을 하면 할수록 스님이 되고 싶은 생각이 간절해집니다."

순간, 나는 큰스님의 눈치를 재빨리 살폈다. 무척 좋아하시리라 생각했는데 그분의 반응은 예상치 못한 것이었다. 기쁜 표정은 고사하고 고개를 숙이고 두 손을 깍지낀 채 뭔가를 생각하시는 것이었다. 큰스님은 아주 심각한 얼굴로 단주(短珠)를 만지작거리기 시작하셨다. 그 모든 일이 단 2, 3초 안에 일어난 일이었는데 나에게는 한 시간처럼 길었다.

마침내 그분은 내 눈을 그윽하게 쳐다보셨다. 더이상 웃는 얼굴이 아니었다.

'아마 나를 제자로 받지 않으시려는 모양이구나. 내가 큰 실수를 한 게 틀림없어. 이를 어쩌지.'

그러더니 갑자기 이렇게 물으셨다.

"남자 형제가 몇인가요?"

도대체 이건 무슨 뚱딴지 같은 말씀이람.

"다섯 명입니다."

"아아 그래요, 하하하하."

내 말이 끝나기가 무섭게 큰스님에게서 웃음이 터져나왔다. 얼굴은 다시 밝아졌고 눈은 빛났다. 그는 어린아이처럼 싱그러운 미소를 방안 가득 던지셨다.

"오! 댓츠 원더풀, 노 프라블럼." (Oh! That's Wonderful, No problem.)

나는 영문도 몰랐지만 큰스님의 웃음에 적이 안심이 되어 같이 따라 웃었다.

잠시 후 큰스님은 이렇게 말씀하셨다.

"나는 형제가 없이 자랐습니다. 내 아버지도 그랬고 내 할아버지도 마찬가지였습니다. 그래서 내가 스님이 되겠다고 결심했을 때 그것은 바로 대를 끊는 것이었지요. 한국에서는 대가 끊기면 엄청난 불효를 하는 것입니다. 하나밖에 없는 3대 독자가 스님이 되겠다고 했으니 부모님 충격이야 이루 말할 수가 없었지요. 불효 중에서도 가장 나쁜 불효를 한 것이지요. 그런데 당신은 형제가 많다니, 얼마나 다행한 일입니까. 원더풀 원더풀 노 프라블럼."

그는 다시 웃었다.

나는 스님의 큰 뜻을 그제서야 알아듣고 그의 세심한 배려에 눈물이 날 정도로 고마웠다.

"그런데 큰스님, 저에겐 다른 큰 문제가 있습니다."

나는 여자친구 얘기를 했다. 그녀는 큰스님도 잘 아는 제자였다. 나는 큰스님께 어떻게 하면 그녀의 마음에 상처를 주지 않고 출가를 할 수 있을지 여쭈었다.

그러자 큰스님은 이렇게 말씀하셨다.

"걱정하지 말아요. 지금 상태에선 그녀에게 아무 말도 하지 않는 게 좋습니다. 그저 수행만 열심히 하십시오. 그러면 자연스럽게 기회가 올 겁니다. 서로 많은 말을 해봐야 도움이 안 됩니다. 마음이 맑아지면 어떤 행동이 자연스럽게 나타날 것입니다. 알겠지요?"

나는 평온해진 마음으로 대답했다.

"예, 알겠습니다. 큰스님. 그렇게 하겠습니다."

방안에 잠시 침묵이 흘렀다. 미소를 머금고 계시던 큰스님은 강하고 단호한 목소리로 다시 말씀하셨다.

"스님이 되는 일은 좀더 빠른 길을 간다는 겁니다. 일반 사람들보다 훨씬 더 빨리 깨달음의 길로 갈 수 있습니다. 일반 사람들 역시 깨달을 수 있지요. 하지만 어렵습니다. 마음을 산란하게 하는 일이 너무 많기 때문이지요. 수행을 하면서도 마음속은 엄청나게 싸움을 해야 합니다. 아내나 남편을 갖고 아이들을 갖게 되면 아무래도 돈도 벌어야 하고 신경 쓸 일이 많아지지요. 그리고 가족들을 실망시켜서는 안 되고요. 하지만 당신은 이제 빠른 길로 들어섰습니다. 아주 훌륭한 일입니다. 하하하하."

승복을 빌려입고 중국으로

액크 교수에게 제출할 보고서는 거의 끝나가고 있었다. 바야흐로 스님이 되는 데 내 앞을 가로막고 있었던 마지막 장애물이 사라지고 드디어 자유의 몸이 되는 순간이었다.

어느 날 나는 무상스님으로부터 전화를 받았다. 1992년 8월이었다. 무상스님은 숭산스님의 제자 중 가장 나이가 많은 미국인 제자로 당시 큰스님의 비서 업무를 보고 계셨다.

무상스님은 며칠 후 중국 승려들이 숭산 큰스님을 초청해 가르침을 듣는다는 소식을 전해주면서 다음주에 일행들이 떠난다고 했다. 그런데 이 행사는 역사적으로 매우 중요한 행사라는 것이었다. 당시 중국과 남한 사이에는 어떠한 외교 관계도 없었기 때문에 숭산 큰스님의 법문은 공산주의인 중국땅에서 남한 승려로서는 처음으로 행하는 가르침이라는 것이다.

중국 승려들이 세계 모든 위대한 선사들 중에서도 특히 큰스님을 유난히 따른다는 것은 익히 알고 있었다. 중국 승려들 중 몇몇이 홍콩이나 대만, 싱가포르에 갔다가 그곳에서 행하신 숭산 큰스님의 법문과 가르침을 듣고 감동해 본국으로 돌아가 이를 널리 알렸던 것이다. 그들은 영어를 따로 배우면서까지 큰스님의 영어 법문집을 밀수해 읽기도 했다.

"그럼요, 가야지요."

무상스님의 제의에 선뜻 가겠다고 대답했다.

드디어 그달 30일 도안스님, 도문스님 두 분 미국인 스님들과 함께 LA로 떠났다.

나는 비록 그녀와 나 사이가 앞으로 어떻게 될 것인지 말하지 않았지만 지금 이 비행기를 타면 나에게 어떤 일이 생길지, 그리고 우리 사이에 어떤 변화가 올지 어림짐작으로 느끼고 있었다. 그녀는 약속한 2주일 후에 꼭 돌아오라고 나에게 신신당부했다. 그리고 나 역시 그렇게 하겠노라 약속했다. 그러나 그것은 결국 거짓말이 되어버렸다.

우리는 LA에서 무상스님과 만났다. 그리하여 나는 세 미국인 스님들과 함께 한국으로 향했다. LA를 떠나기 전 무상스님이 내게 삭발을 하는 게 어떻겠느냐고 제안하셨다. 그는 스님이 되고 싶어하는 내 마음과, 그러면서도 질긴 인연의 끈을 놓지 못해 머뭇거리고 있는 또 다른 내 마음을 잘 알고 계셨다. 그리고 이번 중국행이 나에게 뭔가 새로운 전기를 가져다줄 역사적인 일이 되리라는 것도 알고 계셨다. 나는 흔쾌히 스님의 제의를 받아들였다. 완벽한 삭발은 아니었다. 군인 스타일로 머리카락을 약간 남겨놓았다.

무상스님은 내게 승복을 빌려주었는데 머리를 깎고 승복을 입자 기분이 좀 묘했다. 스님이 되는 길로 한발 한발 가까이 다가가고 있다는 생각이 들었다. 스님들은 내게 잿빛 승복이 아주 잘 어울린다고 즐거워하셨다. 나도 정말 승복이 편했다.

신기한 것은 머리를 깎고 승복을 입고 스님들과 함께 지내다 보니 내 마음속에 그렇게 끈질기게 자리했던 욕망, 미련, 머뭇거림이 싹 가셨다는 것이었다. 좀더 자유로워졌다고나 할까. 머리 깎고 승복을 입으면 구속을 받지 않을까 했는데 오히려 정반대였다.

그리고 스님들이 정말 가족 같고 형제처럼 다가왔다. 전보다 훨씬 더 가볍고 맑고 자유로운 사람이 된 듯했다.

우리는 마침내 서울 화계사에서 큰스님을 뵈었다.

며칠 동안 화계사에 머물면서 용맹정진 수행을 했다. 폴란드 비구 스님, 또 다른 미국 비구와 비구니 스님, 독일 비구니 스님들이 우리 일행에 합류했다. 우리 모두는 일단 홍콩으로 갔다. 그리고 홍콩에서 하루 쉬면서 향후 중국 일정에 대해 들었다.

나는 홍콩을 떠나 중국으로 가기 전에 큰스님께 출가문제를 상의하고 싶었다. 이번 중국 여행이야말로 내가 스님이 되는 결정적 기회라는 것을 본능적으로 느꼈다. 그리고 그것이야말로 내 삶의 도약이 되어줄 것이라고 확신하고 있었다.

이제 모든 것이 명확해졌다. 아직까지도 모든 의심이 완전히 풀린 것은 아니었지만 아무리 생각해도 그 길밖에는 없었다. 그동안 내가 걸어온 삶은 출가를 위해 한발 한발 다가선 것 같았다. 돌이켜보면 그동안 했던 모든 고민들은 모두 바보 같은 일일 뿐이었다. 더

이상 주저하거나 머뭇거릴 필요가 없다.

스님이 된다는 일, 특히 미국 사회에서 불교 수행자가 된다는 일은 큰 용기를 필요로 하는 일임에는 틀림없다. 하고 싶은 것 다 하고 먹고 싶은 것 다 먹고 살다가 엄격한 규율을 지키는 승가생활로 들어가는 일은 엄청난 결심이 서지 않고서는 안 되는 일이다. 항상 똑같은 옷을 입어야 하고 머리도 삭발을 해야 한다. 마음은 준비가 되어가고 있었지만 과연 내 몸이 잘 따라줄 것인가. 내 업은 매순간 나를 뒤로 끌어당기고 있었다. 나의 온 신경은 홍콩에 있는 내내 팽팽하게 긴장되어 있었다.

마침내 큰스님의 호텔 방문을 두드렸다.

"들어오세요."

우렁차고 큰 목소리가 들렸다. 정신이 번쩍 났다. 문을 열고 안으로 들어갔다. 큰스님께서는 의자에 앉아 계셨다.

"한 가지 상의 드릴 게 있는데요."

"그래요? 뭐든지 말해보세요."

나는 신발을 벗고 그에게 큰절을 올렸다. 쿵쿵거리는 심장 박동 소리가 큰스님에게까지 들리지 않을까 조심스러웠다.

"몇 달 전 제가 출가하고 싶다는 말씀, 혹 기억하시는지요. 이제 결정을 내렸습니다. 저는 스님이 되고 싶습니다."

무릎 위에 놓인 내 두 손은 바람에 흔들리는 나뭇가지처럼 미세하게 떨렸다. 방안에는 에어컨이 돌아가고 있었건만 등줄기에서는 땀이 흘러내렸다.

"오 댓츠 원더풀. 스님이 되고 싶다구요. 드디어 결정을 내렸다구요. 댓츠 원더풀 베리 베리 원더풀."

그의 목소리는 힘이 넘쳐흘렀고 얼굴은 미소로 환하게 빛났다.

"그런데 한 가지 물어볼 게 있어요. 스님이 얼마나 되고 싶으세요. 90퍼센트? 99퍼센트? 아니면 100퍼센트?"

큰스님은 내 눈을 똑바로 쳐다보고 계셨다. 그 눈빛이 너무 강해 그대로 받을 수가 없었다. 그 눈빛은 내가 못 보는 나의 모든 것을 꿰뚫어 보고 있는 것 같은 눈빛이었다. 약간 두려웠다. 그러니 거짓말을 할 수가 없었다.

"한 99퍼센트쯤 됩니다. 큰스님."

그는 고개를 끄덕였다. 아니, 큰스님은 내 입에서 '99퍼센트'라는 말이 떨어지기 훨씬 전부터 고개를 끄덕이고 계셨다.

그는 이미 내 마음을 보고 계신다. 다만 내 마음이 생각하고 있는 것을 내 입이 얼마나 정확하게 말하고 있는지 시험하고 계신 거야. 여태껏 살아오면서 그렇게 어려운 선택의 상황에 놓인 적이 없었다. 그토록 여러 해 동안 그렇게 많은 생각을 했음에도 불구하고 이렇게 마지막 한 발을 내딛기가 어렵다니. 그러나 나는 이미 서원을 했다. 삭발을 했으며 이렇게 승복까지 입었다. 도저히 돌아갈 수는 없다. 내가 내리는 이 결정은 마지막이고 영원한 길이다. 하지만 그럼에도 불구하고 내 삶의 습관을 버리기가 이렇게 힘이 드는가.

나는 그 1퍼센트 앞에서 절망하고 있었다.

"으음…… 99퍼센트는 좋지 않아요."

"……."

"스님이 되는 것에 단 1퍼센트라도 주저함이 있으면 안 됩니다. 이 1퍼센트가 나중에 당신을 죽일지도 모르기 때문이지요. 이 1퍼센트는 나머지 99퍼센트보다 강합니다. 1퍼센트는 점점 자라 당신

의 마음을 완전히 주무를 것입니다. 그러면 포기를 하고 다시 돌아갈 겁니다. 99퍼센트가 명확해져 완전히 100퍼센트가 될 때 나를 다시 찾아오세요. 오케이?"

"예, 알겠습니다. 큰스님."

나는 일어서서 그에게 절을 올리고 신발을 신고 방을 나왔다.

수영장에 가서 다이빙을 해본 적이 있는가. 그러면 당시 내 마음속에 일었던 주저와 머뭇거림을 아마 이해할 수 있을 것이다. 다이빙하러 올라갈 때는 얼마나 자신감에 차고 새로운 경험에 대한 흥분이 이는가. 그러나 일단 다이빙 판에 서서 아래를 내려다보면 나와 물 사이에 거리가 느껴지면서 갑자기 두려움이 일지 않는가. 와아! 저 먼 곳으로 어떻게 떨어지나……. 당시의 내 마음은 바로 그런 심정이었다.

일단 스님이 되면 돌아와서는 안 된다. 다시 승복을 벗는 일은 없어야 한다. 그러나 나는 여전히 주저하고 있었던 것이었다.

큰스님을 만나고 내 방으로 돌아와 침대에 누웠다. 부끄러웠다. 그렇게 오랜 시간을 찾고 묻고 생각하고 방황해 결국 여기까지 왔건만 이렇게 여지없이 흔들리다니.

이제 마지막 문만 열면 되는데 이렇게 머뭇거리다니. 이 방해물의 정체는 무엇인가? 앞으로 완전히 다른 코드로 살게 될 내 앞날에 대한 두려움인가. 아니면 내 사랑을 잃는 것에 대한 안타까움인가. 아니면 부모님에게 끼칠 불효에 대한 걱정인가.

물론 나는 내 스승의 가르침을 100퍼센트 믿는다. 그의 가르침과 삶의 지혜는 예일이나 하버드에서 수년 동안 귀에 못이 박히도록 들었던 철학공부보다 더 위대한 것이었다. 그토록 찾아다녔던 진리였다.

그런 강한 확신 속에서도 내 마음을 가로막고 있는 이 방해물의 정체는 과연 무엇인가. 무엇인가…….

못난 폴, 못난 폴…….

자책감과 부끄러움에 쥐구멍이라도 파고들고 싶었다.

'현각'으로 다시 태어나다

　우리가 갈 곳은 남중국 조계산에 있는 '남화사'라는 절로서 육조(六祖) 혜능대사(638 ～ 713)가 살고 수행하면서 가르침을 전한 곳이었다.

　육조 혜능대사는 중국의 선종 일조인 달마대사(達磨大師, ?～528)로부터 6대가 되는 선사다. 속세에서 그는 그냥 노(盧)씨라고만 불렸다. 지금의 광동성 조경부 신흥에서 태어난 그는 세 살 때 아버지가 죽고 집이 가난해 공부를 제대로 하지 못했다. 날마다 나무를 팔아 어머니를 봉양해야 했다. 그러다 스물네 살이 되던 해 장터에서 어느 스님이 지나가면서 외우던 〈금강경〉 소리를 듣고 마음에 열린 바가 있었다. 그는 그 스님을 따라 양자강을 건너 황주부 황매산에 가서 오조(五組) 홍인대사(弘忍大師)를 뵙고, 그가 시키는 대로 여덟 달 동안이나 방아만 찧으면서 행자생활을 했다.

　오조스님이 법을 전하려고 제자들의 공부를 시험할 때, 제자 중

한 사람이 다음과 같은 글을 지어올렸다. "마음은 밝은 거울이므로 부지런히 닦아 티끌이 묻지 않도록 해야 한다."

이 글을 본 노(盧)행자는 "본래 한 물건(one thing)도 없는데 어디에 티끌이 묻을까" 하고 화답했다.

오조스님은 마침내 그에게 법을 전하고 부처님의 법통을 상징하는 가사와 발우를 전해주었다. 그는 시기하는 사람들을 피해 남쪽으로 돌아가 18년 동안이나 숨어 지내다 비로소 계를 받고 스님이 되었다. 소양의 조계산에서 선법을 크게 일으켜 그 법을 이은 제자만 40여 명이나 되었다. 그는 당나라 현종 때 76세로 입적하였다.

남화사는 바로 육조 혜능대사가 살면서 수행하시던 곳이니 중국 선종의 법통을 그대로 이어받은 절인 데다 그곳이 위치한 조계산의 이름을 따 대한불교 조계종이 탄생하게 되니 이만저만 역사가 있는 절이 아니다.

남화사에는 혜능대사의 시신이 대웅전 법당 제단에 참선하며 앉은 자세 그대로 미라로 보관돼 있다. 그런 유서 깊고 역사적인 절에 숭산 큰스님이 방문한다는 건 일대 사건이었다.

문화혁명 이후 중국 정부가 외국 스님의 방문을 허락한 것도 처음있는 일이거니와 당시 국교도 이뤄지지 않은 나라의 사람을 초청한 것도 대단한 일이었다. 게다가 선의 시조라 할 수 있는 육조 혜능대사가 살고 가르친 곳에서 큰스님이 가르침을 펴니, 이 얼마나 영광된 일인가. 우리의 스승이신 큰스님이 중국 선종의 뿌리가 되는 절에 가서서 중국 스님들에게 가르침을 펴시다니 정말 기쁜 일이었다.

우리는 중화인민공화국에 입국해 마침내 남화사에 도착했다. 남화사는 아주 크고 웅장한 절이었다. 그렇게 큰 절은 처음 보았다. 우리가 들어서자 그곳에 계신 승려들이 모두 나와 마치 부처가 살아오기라도 한 것처럼 온 마음에 존경을 담아 인사를 했다.

정말 믿어지지가 않았다. 큰스님이 이렇게까지 존경을 받고 계시다니……. 우리는 깜짝 놀랐다. 어떤 스님들은 멀리서 큰스님의 얼굴을 보자마자 뛰어와 땅바닥에 그대로 앉아 절을 했고 큰스님이 법당으로 들어가실 때까지 움직이지 않고 앉아 있었다.

그 당시 중국은 같은 중국 땅 안에서도 여행이 자유롭지 못하다고 들었다. 그런 상황에서 어떤 스님들은 숭산 큰스님이 오신다는 소식을 듣고 위험을 무릅쓰고 기어이 남화사까지 오신 분들도 있었다. 그저 한마디라도 큰스님께 여쭈어 법문을 들을 기회를 가져보기 위해서였다.

남화사 주지는 중국 안에서 가장 존경받는 스님이라고 했다. 주지스님은 큰스님이 마치 외국의 대통령이라도 되는 듯 예를 다하였다. 그리고 지금 이곳 승려들이 얼마나 큰스님의 가르침에 목이 말라 있는지 자세히 설명하셨다. 중국 승려들의 이같은 환대는 정말 상상 밖이었다.

큰스님을 비롯한 우리 일행들은 즉시 대웅전으로 가 큰절을 올리고 육조 혜능대사 앞에도 큰절을 올렸다. 이것은 우리 모두에게 아주 감동적인 경험이었다.

육조 혜능대사는 열반하실 때의 그 모습 그대로, 래커와 방부제로 보존된 얼굴과 손, 참선하는 모습으로 붉은 가사를 입고 그대로 앉아 계셨다. 우리 모두가 지금 참선수행을 통해 우리 자신을 찾을 수 있도록 길을 열어주신 이 위대한 스승 앞에 우리는 천천히 삼배를 올렸다.

물론, 우리 앞에 있는 것은 단지 한 사람의 몸이다. 방부 처리된 미라에 불과하다. 신성하다거나 어떤 영적인 것이 아니다. 그러나 그것을 보는 것만으로도 부처님의 위대한 가르침에 존경과 감사를 일깨워주는 것이다.

우리는 삼배를 올리며 모든 중생들을 고통에서 구해내겠다고 다짐했다.

다음날, 우리는 남화사 큰 선방에서 3일간의 용맹정진을 시작했다. 중국 비구·비구니·신도들까지 우리 일행에 동참했다. 다들 아주 열심히 참선수행을 했다. 하루에 열 시간 넘게 앉아 있었다. 미국인 스님인 도안스님은 중국 스님들에게 공안인터뷰를 하시기도 했다. 그 광경은 매우 재미있었다. 여기 육조 혜능대사의 땅에서, 우리가 현재 수행하는 참선수행의 길을 열어주신 분들 중 위대한 성인 한 분이 태어나고 돌아가신 곳에서 그의 중국인 제자들이 서양에서 온 푸른 눈 스님한테 가르침을 받고 공안수행을 하고 있으니 이 얼마나 재미있고 역사적인 광경인가.

진리를 위해서라면 국적도 자만심도 모두 버리고 배우려 하는 중국 스님들을 보면서 이분들이야말로 진정한 '하심'(下心)을 실천하고 계시다는 생각이 들었다.

나 역시 3일 용맹정진에 참여해 다른 비구와 비구니들과 함께 선방에 자리를 잡고 앉았다. 한 중국 스님이 나에게 자기 자리를 내주었다. 나는 가부좌를 틀고 앉았다. 죽비치는 소리가 세 번 나고 우리는 참선에 들어갔다.

참선수행 규율이 중국은 약간 독특했다. 선방을 주관하는 입승스님은 죽비를 치면 선방문을 일단 잠가버린다. 따라서 늦으면 선방에 들어올 수 없고 나가고 싶어도 나갈 수 없다.

조용히 참선을 하면서 나는 내 자신을 들여다보았다. 나는 아직도 고통의 바다에서 헤엄치고 있었다. 왜 출가를 주저하느냐. 내가 아직도 버리지 못하는 것은 무엇이냐. 내 어깨에는 아직도 바위처럼 너무 큰 짐이 올려져 있는 것 같아 고통스러웠다.

참선에 정진하면 할수록 고통만이 가득 찼다. 우리는 한 시간 참선하고 10분 동안 절 주변을 도는 걷기 명상을 하는 식으로 3일 동안 수행했다.

이튿날이었다.

나는 여전히 내 안에 큰 물음을 잡고 물고늘어졌다. '나는 누구인가' '나는 누구인가.' 참선하면서도, 밥을 먹으면서도, 걸으면서도, 온통 그 생각뿐이었다.

'나는 누구인가, 나는 누구인가.'

그날 오후쯤이었다. 나는 참으로 신비한 경험을 하게 된다. 어느 순간 내 맘이 '확' 하고 열린 것이다. 아주 깨끗하고 맑은 길이 내 앞에 열린 기분이었다. 더이상 잡생각이 없어지고 모든 것이 자유로워지고 가벼워지는 느낌이었다. 몸에는 힘이 솟았다. 이것을 생각 이전의 원점인 상태라고 하는가. 더이상 어떤 고통도 분노도 자책도 없어졌다. 믿을 수 없을 만큼 행복감이 차올랐다.

이 기분을 어떻게 말로 표현할 수 있을까. 일종의 깊은 바라봄이라고 할까. 나의 모든 고통은 환상이며 착각이라는 느낌과 함께 안개가 일시에 걷히는 느낌이었다.

한 시간 명상이 1초처럼 지나갔다. 입승스님이 쉬는 시간을 위해 죽비를 쳤는데도 나는 계속 앉아 있었다. 나는 영원히 그 자리에 그렇게 앉아 있고 싶을 뿐이었다. 그 다음 한 시간도 그대로 앉아 있었다. 그때의 경험은 그 전까지 내가 경험했던 어떤 행복감, 만족감보다 큰 것이었다.

나는 점점 더 깊이 내 안으로 들어갔다. 세번째 시간이 끝나자 옆의 승려 한 분이 나를 툭툭 쳤다. 나는 자리에서 일어나 절 뒤쪽으로 천천히 걸어갔다.

그래, 바로 이거다. 이런 경험을 더 발전시켜야 한다. 나와 사물에 대한 깊은 자각, 깊은 완성…… 이보다 더 귀하고 중요한 일이 어디 있겠는가.

나는 성큼성큼 큰스님 방으로 가 문을 두드렸다. 그때는 스님들이 아무나 큰스님 방문을 두드리지 못하도록 했다. 큰스님께서 빡빡한 일정 때문에 피곤하셔서 굳이 큰스님을 뵈려면 비서스님을 거쳐야 했다. 그러나 나는 거칠 것이 없었다.

똑똑똑.

"누구세요?"

"접니다, 하버드 학생입니다"(그때 우리 일행들은 나를 하버드 학생이라고 불렀다).

"오, 들어오세요."

큰스님은 방에 편안하게 앉아 계셨다.

그는 방으로 들어서는 내 얼굴을 잠시 보시더니 뭔가 심상치 않음을 눈치채신 듯했다.

"이리 가까이 오세요."

내가 아무 말이 없자 큰스님이 이렇게 물으셨다.

"무슨 문제가 있어요?"

큰스님은 나에게 이렇게 물으셨지만 이미 내 얼굴만 보시고도 뭔가 이해하신 것 같았다. 물론 그는 여전히 얼굴에 환한 웃음을 짓고 계셨지만 뭔가 내 속에 일어난 변화를 눈치채신 듯한 모습이었다. 나는 단호하게 말했다.

"스님이 되고 싶습니다."

큰스님은 다 알고 있다는 편안한 표정으로 고개를 끄덕이셨다.

"큰스님의 가르침은 세상에서 가장 위대한 가르침입니다. 저는 오직 그 가르침을 등불 삼아 평생을 살겠습니다."

"원더풀, 원더풀. 그래요. 그렇지 않아도 내일 모레 수계식(受戒式)이 있는데 잘됐네요. 하하하. 아주 잘됐어요."

그 수계식이란 본래 남화사 중국 스님들을 위한 것이었다. 그들은 이미 계를 받았는데도 숭산 큰스님 밑에서 다시 계를 받고 싶다고 전해와 수계식을 하기로 한 것이었다. 선의 본고장인 중국에서 육조 혜능대사의 제자들이 한국 숭산 큰스님의 제자가 되는 것이다. 큰스님은 아주 뿌듯하다는 얼굴로 이렇게 말씀하셨다.

"육조 혜능대사가 계셨던 절에서 1백 명 중국 스님들과 한 명의 미국인 스님이 계를 받는다니, 아주 재미있어요, 재미있어. 하하하."

드디어 이틀 뒤 수계식 날.

수염과 머리를 깨끗하게 깎았다. 나의 사형스님인 도문스님이 도와주셨다. 나는 비로소 스님이 된다는 생각에 잔뜩 긴장해 있었다. 그런데 도문스님은 내 마음을 읽으셨는지 자신이 처음 삭발할 때의 경험을 들려주셨다. 어찌나 재미있게 말씀해주시는지 스님과 이야기하면서 긴장된 마음이 풀렸다.

마침내 1992년 9월 7일.

조계산 남화사 대웅전, 육조 혜능대사의 몸 바로 옆에서 나는 숭산 큰스님을 은사로 모시고 스님이 되었다. '폴 뮌젠'에서 '현각'이라는 이름으로 나는 다시 태어난 것이다.

돌이킬 수 없는 일

스님이 된 지 2개월쯤 뒤 프라비던스 젠센터에서 여자친구를 만났다. 그녀는 얼굴이 완전히 반쪽이 되어 있었다. 너무나 가슴이 아팠다. 그러나 이미 돌이킬 수 없는 일이었다.

"당신이 원한다면 돌아올 때까지 기다릴게요."

나는 그녀에게 '기다리지 말라'고 딱 잘라 말했다.

그녀는 한 가닥 희망이라도 잡겠다는 표정으로 이렇게 소리쳤다.

"당신 미쳤어요? 우리 사랑이 어떤 것이었는데 그렇게 헌신짝처럼 버릴 수 있어요?"

나는 사정하다시피 말했다.

"버리는 것이 아니야. 나 자신을 모르면 나는 당신조차 사랑할 수 없어. 아니, 이 세상 누구도 사랑할 수 없어."

그녀는 흐느끼기 시작했다.

아! 그 순간의 고통을 어떻게 말로 설명할 것인가. 그녀의 사랑

없이는 단 하루도 못 살 것 같은 그런 날이 있었는데, 결국 이렇게 헤어져야 하는구나. 순간 마음속은 요동을 쳤다. 이렇게 소중한 사랑을 버리고 내가 찾는 길이 도대체 무엇이냐. 이거 완전히 미친 짓 아니야?

그녀와 겪은 이별의 고통은 사실 새삼스러운 것은 아니었다. 이미 충분히 예견한 바였기 때문이다. 그 고통이 얼마나 클지도 알고 있었다. 비록 내가 예상했던 것보다 더 크다 할지라도 이겨낼 자신이 있었다. 정작 내가 놀랐던 것은 내 가슴을 찌르는 칼을 바로 내가 잡고 있었다는 자각 때문이었다. 지금 이 순간 내 심장을 찌르는 것은 다름아닌 내 손이라는 사실이었다. 나는 그녀의 가슴에 고통을 만들고 있으며 동시에 내 가슴에도 고통을 만들고 있다.

아무도 나에게 이 길을 가라고 하지 않았다. 이렇게 완벽한 사랑과 편안함과 달콤함이 보장된 길을 거부하고 고통의 가시밭 길을 가라고 내 등을 떠민 사람은 아무도 없다. 나는 지금 당장이라도 다시 돌아갈 수 있다. 이 순간, 내 마음을 바꾸면 이 아름답고 훌륭하고 지혜로우며 특별한 사람과 단란한 가정을 꾸리며 영원히 행복하게 살 수 있다.

그러나 이런 생각은 그저 찰나적인 것이었다.

스님이 되겠다는 결정은 이미 오래 전에 한 것이 아닌가. 수년 동안의 세월을 오직 머릿속에 스님이 되고 싶다, 아니다 하는 마음으로 싸워왔고 마침내 결정을 내린 것이다.

헛되고 쓸모없는 경쟁과 마음의 고통을 안고 위선적인 삶을 살고 싶지 않다는 결론 말이다. 그리고 이미 어렸을 때부터 부모님으로부터 받은 종교적 가르침이 뭔가 모자라고 부족하다는 생각은 내 안에서 진리에 대한 탐구라는 불을 피우지 않았는가. 나는 지금 그런 모든 고민과 회의를 통해 얻은 결론을 바꿀 수 없다. 진정 내가 이 여인을 사랑한다 하더라도, 그리하여 이 여인과 내가 결혼을 해서 행복한 가정을 꾸민다 하더라도 결국은 다시 이 길로 돌아올 것임을 잘 알고 있다. 지금 이 여자와 결혼을 한다면 분명 나 자신을 끊임없이 증오하고 학대할 것이다. 그러나 그때 가서 겪을 고통은 나 혼자만의 고통이 아니라 그녀와 내 자식들이 함께 짐져야 할 고통이다. 내가 무슨 자격으로 그들에게 그런 고통을 줄 수가 있는가.

설사, 내가 정말 완벽하고 행복한 나만의 세계를 가진다 한들 인생이라는 고통의 바다에서 허덕이는 다른 사람들은 어쩔 것인가. 나 혼자만 행복하고 나 혼자만 즐거운 것이 무슨 의미가 있다는 말인가.

나는 나 자신을 찾아야 한다. 그리고 이 세상 고통의 본질에 대한 이 심오한 질문에 대답해야 한다. 그 수많은 철학책, 어렸을 때부터 배우고 가르침을 받았던 종교는 나에게 해답을 주지 못했으므로 나 혼자서 그것을 찾아야만 한다.

"수행하면서 각자 서 있는 곳에서 열심히 살자."

내가 낮은 목소리로 그녀에게 말했다.

그녀는 더이상 말해봐야 소용없다는 것을 깨달았다는 듯 나를 지나쳐 천천히 문 쪽으로 걸어갔다. 그 순간에도 내 마음속에서는 '이제라도 늦지 않아. 그녀를 붙잡아. 얼른 뛰어가 그녀를 안으란 말이야' 하고 소리치는 또 다른 나의 목소리가 들렸다.

'쾅.'

문이 닫혔다.

순간, 온 세상의 소리와 시간이 다 멈춘 듯 정적과 침묵의 세계에 나 홀로 놓여졌다는 진한 외로움이 밀려왔다. 한편으로는 이제야 모든 것을 벗어 던졌다는 홀가분함도 느껴졌다.

나는 그렇게 오래도록 방안에 홀로 서 있었다.

이제 내 손에는 아무것도 남아 있지 않다. 더이상 붙잡을 것도 더이상 주저할 것도 더이상 미련이 남을 것도…… 아무것도, 아무것도 없다.

그렇게…… 나의 사랑은 끝났다.

부모님 전상서

나는 지금까지 큰스님에게 두 번 혼찌검이 난 일이 있다. 모두 스님 생활 초창기 때의 일인데, 그때 어떻게나 혼이 났는지 지금 생각해도 얼굴이 빨개진다.

나는 큰스님 일행과 함께 미국 프라비던스 젠센터로 돌아왔다. 처음엔 스님 생활에 적응하기가 힘들었다. 그동안 원하는 것은 뭐든 할 수 있었는데 갑자기 스님이 되니까 사람들이 '이것은 안 돼' '저건 하면 안 돼' 하며 지시를 내리기 시작했다. 자유롭기 위해 스님이 된 것인데 사람들의 그런 간섭이 좀 참기 어려웠다. 지금 생각해 보면 몸만 스님이 되었지 마음속은 아직도 '나'로 가득 차 있었던 것이다. 어느 누구보다도 내가 제일 잘났다는 자만심 말이다.

며칠 뒤, 큰스님의 법문이 있던 날이었다. 나는 아무 생각 없이 다른 스님들과 같은 줄에 앉아 있었다. 그런데 큰스님이 들어오시면서 나를 보시더니 갑자기 소리를 지르시는 게 아닌가.

"갓 출가한 승려가 뒤로 가 앉아야지. 어떻게 감히 다른 스님들과 함께 앞자리에 앉는가."

어찌나 화를 내시던지 나는 얼굴이 빨개졌다. 큰스님의 말씀대로 뒤로 물러가 앉으면서 나는 생각했던 것보다 스님 생활이 너무 어렵다고 느꼈다. 그러나 곧 생각을 고쳐먹었다. 약은 입에 쓰지만 병을 치료하려면 그 쓴 약도 먹어야 한다. 나를 죽여야 한다, 나를 죽여야 한다, 죽여야 한다. 이렇게 스스로에게 한없이 되뇌었다.

또 한번 혼찌검이 난 것은 부모님 때문이었다.

부모님은 과연 내가 스님이 되었다는 사실을 알면 얼마나 놀라실까. 어떻게 이 일을 알려야 하나. 모든 인연을 끊어야 하는데 아직도 이렇게 '버리지 못하고' 고통에 허우적대는 나 자신이 너무 미웠다.

도반스님 중 한 분이 내 고통을 눈치챘는지 큰스님께 여쭈어보면 뭔가 길을 주실 것이라고 제안하셨다. 나는 용기를 내 큰스님을 뵙기로 했다.

어느 날 밤, 큰스님의 방문을 두드렸다. 마침 큰스님께서는 잠자리에 들려던 참이었는지 두루마기를 벗고 계셨다.

큰스님은 베개를 제자리에 놓으며 나를 맞이하셨다.

"무슨 일이지요?"

한밤중에 난데없는 방문이기도 했고 내 얼굴이 무척 안돼 보였는지 큰스님의 목소리가 가라앉아 있었다. 나는 용기를 내 부모님 문제를 말씀드렸다.

내 말이 끝나기가 무섭게 큰스님은 이렇게 소리치셨다.

"부처님은 가족과 왕궁을 다 버리고 뒤도 돌아보지 않고 머리 깎

고 산으로 들어가셨습니다. 오직 그런 마음을 가져야 합니다!! 오케
이?!!"

그리고는 일어서서 방문을 쾅 닫고 나가버리시는 것이 아닌가.
나는 갑작스런 큰스님의 꾸지람에 당혹스러웠다. 주무시는 시간을
방해한 것도 죄스러운데 잠을 마다하고 방을 나가버리시니 이런 큰
일이 어디 있는가. 방문 닫히는 소리가 얼마나 무섭고 컸던지 나는
기절할 뻔했다.

큰스님으로부터 받은 그 꾸지람은 그때 두 번이 다였지만 어떤
말씀, 어떤 위로보다 더 큰 가르침이었다. 나는 지금까지도 그때 그
큰스님의 꾸지람을 잊지 못한다. 그 이후에도 내 마음속에 주저와
안일한 마음이 일 때면 큰스님의 그때 그 목소리를 되새기며 버텨왔
다 해도 과언이 아니다.

나는 마침내 마음을 정리했다.

내 방으로 돌아와 노트북 컴퓨터를 켰다. 그리고 부모님께 편지
를 썼다. 나는 자판을 두드리면서 참을 수 없는 눈물을 흘리고 또 흘
렸다. 자판을 두드리는 일이 부모님 가슴을 면도날로 슥슥 긋고 있
는 것 같았다. 이 편지를 받고 고통에 빠질 부모님 머리 위에서 잔인
한 춤을 추고 있는 것 같았다.

사랑하는 어머니, 아버지께.

저는 지금 중국에서 한 달 동안의 수행을 막 끝내고 돌아온 길입
니다. 말할 것도 없이 그곳에서의 경험은 아주 재미있고 신비했습
니다. 이제 집에 돌아와서 부모님을 다시 뵙게 돼 기뻐요. 지난 여

행은 아주 행복한 여행이었고 그 수행에 참여할 수 있었다는 사실에 대해 제가 정말 행운아라고 생각합니다.

이제 부모님께 몇 년 동안 심사숙고 끝에 내린 결론을 말씀드리려 합니다.

저는 스님이 되기로 했습니다. 이미 지난 달 9월 7일 중국 남화사라는 절에서 숭산 큰스님 밑에서 사미계를 받았습니다.

이 소식을 듣고 부모님들께서 얼마나 충격을 받고 놀라실지, 두 분은 상상조차 할 수 없는 일이겠지만 저를 잘 알고 있는 사람들에게는 저의 행동이 놀랄 만한 일은 아닙니다. 오랜 세월 동안 저는 출가를 생각해왔으니까요.

부모님은 이미 알고 계시잖아요. 제가 나중에 커서 평생을 종교 수행자로 살겠다고 입버릇처럼 말해온 것을 말이에요. 물론 그러한 제 결정은 때로 흔들리기도 하고 약해지기도 했지만 이제 비로소 저는 제 길을 찾았습니다. 출가를 결정하기까지 제 마음속에 가장 큰 부담은 부모님과 여자친구였어요. 만약 그녀와 결혼을 하면 수도자로서의 삶은 포기해야 했기 때문에 생각이 많았던 거지요.

부모님께서는 제가 그녀와 결혼하기를 진심으로 바라고 계시겠지요. 그녀는 흠잡을 데 없는 훌륭한 여자입니다. 지난 3년 동안 저희 둘의 관계는 그 어떤 연인 사이보다 완벽한 동반자 관계였습니다.

하지만 아무리 그런 훌륭한 사이라 하더라도 결혼을 하고 아이를 낳게 되면 결국 '나'에 갇히고 맙니다. 내 아내, 내 자식들이 생기기 때문이지요.

저의 머릿속에는 지금 결혼을 해 행복한 가정을 만들어야겠다는 생각보다는 삶이 무엇이냐, 죽음이 무엇이냐,라는 의문이 가득해 도저히 다른 생각을 할 수가 없습니다.

이런 생각이 계속 남아 있는 한 결혼을 한다 해도 가족에게 온전히 몰두하지 못할 것입니다. 제 자신을 모르고서 지금 누군가와 편안하고 따뜻한 가정을 이룬다는 것은 불가능합니다.

물론 부모님께서는 제가 그녀를 만난 이후 표정이 더 밝아지고 짜증도 덜 부린다고 생각하셨을 겁니다. 저를 변화시킨 것은 바로 그녀라고 믿고 계시지요?

하지만 어머니, 아버지.

저의 변화는 맑고 강한 가르침을 받았기 때문에 가능했던 것이며 다름 아닌 수행을 통해 얻은 깨달음을 하루하루 일상에서 실천하려는 저의 강한 의지 때문이었습니다. 그것은 바로 제가 케임브리지 젠센터에서 수행을 시작했기 때문입니다.

젠센터에 갔던 이유는 여자친구를 만나기 위해서가 아니라 저의 본성을 깨달아 이 고통의 세상에 조금이라도 도움이 되는 삶을 살자는 결심에 따라 '수행'을 하기 위해 간 겁니다.

그녀와의 만남은 물론 저에게 훌륭한 가르침을 주었고 지난 3년간 제 생애 처음으로 가장 편안하고 열정적이며 완벽한 연인 관계를 경험했습니다. 그러나 둘의 만남이 지속되는 동안에도 생과 죽음에 대한 근원적인 의문들은 계속 남아 있었으며 더 깊어지고 강해졌습니다.

어머니, 아버지.

지난 며칠 동안은 너무 고통스러웠습니다. 스님이 되겠다는 제 결심을 어떻게 부모님과 그녀에게 설명해야 할지 도무지 자신이 없었기 때문입니다. 지금은 저나 그녀에게 아주 고통스러운 시간입니다. 그녀는 지금 강연차 유럽에 가 있습니다.

저는 불교나 숭산스님 때문에만 출가한 게 아닙니다. 진리가 우리를 자유케 하리라는 예수님의 가르침 때문에 출가한 것입니다. 진리를 어떻게 찾을 것이냐 하는 점에서 숭산 대선사의 가르침을 따랐을 뿐입니다.

순수하고 맑은 길은 무엇입니까.

어머니, 아버지. 저는 그것을 찾고 싶습니다. 사회나 남들이 저에게 규정하는 기준이나 잣대에 따라 로봇처럼 살지 않고 제 본성을 찾아 살고 싶습니다.

아마 부모님은 종교 수행자가 되는 것까진 좋은데 카톨릭 신부나 수도사를 할 것이지 왜 하필이면 보지도 듣지도 못한 한국인 승려 밑에서 불교 수행자가 되느냐고 기막혀하실 것입니다. 물론 카톨릭 신부나 수도사의 길이 옳지 않은 길이라고 생각하지 않습니다. 모든 종교가 지향하는 바는 결국 하나이니까요.

하지만 저는 참선수행이야말로 제 마음을 알고 진리를 깨닫게 하는 가장 강한 도구라는 것을 알았습니다. 요즘에는 심지어 카톨릭 수도사님들이나 신부님, 수녀님, 목사님들도 참선수행을 하신답니다.

저는 제 스승이신 숭산 큰스님이 저를 가장 잘 알고 제게 방향을 제시해주는 분이라는 것을 강하게 믿고 있습니다. 큰스님은 오직 제가 저의 본성을 찾기를 바라고 계시며 이미 많은 가르침을 주셨습니다. 제가 오직 참된 나를 찾을 때에라야만 이 고통으로 가득 찬 세상에 저의 작은 존재가 도움이 될 수 있습니다.

'스님'이란 말을 듣고 당혹스러우시겠지요.

카톨릭 수도사님들이나 신부님들은 속세와는 좀 격리돼서 오직 하느님만을 위해 헌신하고 봉사합니다. 하지만 불교 수행자들은 약간 다릅니다.

불가에서 얘기하는 '스님'이란 '스승'의 다른 이름이라고 생각하시면 됩니다. 불교 전통에서는 스님과 신도들이 함께 살며 서로 돕습니다. 스님이란 신도들에게 그저 길을 안내해주고 함께 일하는 동반자들일 뿐입니다. 일반 신도들과 다른 점이라면 매일 보다 열심히 수행을 할 수 있다는 점이지요. 특히 제가 출가하려는 '관음선종'에서 스님은 특별한 사람이 아닙니다. 그저 하나의 직업이라고 생각하시면 됩니다. 저마다 변호사 · 의사 · 목수 · 회사원 등 직업을 갖고 있듯 말입니다.

모든 사람들의 겉의 직업은 달라도 내면의 직업은 하나입니다. 바로 우리의 본성을 찾아 수행을 통해 깨달음을 얻고 다른 사람들을 돕는 것입니다.

그런 점에서 스님이란 직업은 아주 특별한 직업이기도 합니다. 세속에서 얘기하는 돈이나 사회적 명예, 혹은 가족들을 먹여 살려야 한다는 부담감에서 벗어나 오직 깨달음을 얻기 위한 수행과 다른 사람을 돕는 생활에 일평생을 바칠 수가 있기 때문이지요.

이 생은 물론 다음 생, 다음 생, 세세생생 이 세상의 고통과 함께 부대끼면서 말입니다.

'참선'이란 것도 특별한 것이 아닙니다.

바로 지금 이 순간에 나 자신을 완벽하게 이해하는 일입니다. 순간순간에 이런 맑은 마음을 가진다는 것은 참으로 어려운 일입니다. 그래서 때때로 아주 혹독한 수행이 필요합니다.

저는 이미 풋내기 스님으로서 이 과정을 시작했습니다. 바로 지금 제게 가장 필요하고 중요한 것은 집중적인 수행입니다. 그리고 제가 마음속으로 가져온 의문에 정면으로 맞서는 것입니다. 그렇다고 해서 제가 평생 깊은 산속에 처박혀 그저 바윗돌에 앉아서 명상을 하거나 하늘을 응시하는 일을 하겠다는 게 아닙니다.

제가 수행을 하는 이유는 수행을 통해 얻은 깨달음을 가지고 이 세상을 돕는 것입니다.

숭산 큰스님 말씀을 하나 옮겨볼게요.

인간의 길
빈손으로 왔다가
빈손으로 가는 게
인생이다.
태어났을 때, 우리는 어디서 왔는가?
죽을 때, 어디로 가는가?
삶은 구름처럼 왔다가 사라진다.
그러나 본래 구름 자체도 존재하지 않았다.
삶과 죽음, 우리 인생의 오고 감
모두 이와 같다.
그러나 언제나 변하지 않는 맑은 게 하나 있다.
삶과 죽음을 넘어서는 순수하고 맑은 게 있다.
그렇다면 맑고 깨끗한 것이 무엇인가?

어머니, 아버지. 저는 바로 이것을 찾아야 합니다.

저의 불효를 용서하세요.

제가 가는 이 길이 두 분이 원하지 않는 길이라는 것을 너무도 잘 알고 있습니다. 그러나 제가 열심히 살아서 저의 본성과 진리를 찾으면 저는 모든 중생들을 도울 수 있습니다. 제가 할 수 있는 모든 것을 던져서 고통에 빠진 사람들을 돕는 것입니다. 이 얼마나 아름다운 일입니까?

저는 지금 울고 있습니다. 흐르는 눈물 때문에 앞이 안 보여 벌써 몇 시간째 컴퓨터 앞에 앉아 있는지 모릅니다. 컴퓨터 자판을 두드리는 일이 두 분 가슴을 예리한 칼로 도려내는 것 같아 견딜 수가 없습니다.

그러나 어머니, 아버지.

제가 가는 이 길이 그렇게 고생해서 저를 키운 기대와는 완전히 다른 방향의 길이라 하더라도 저의 겉모습에 너무 괘념치 말아주세요. 저는 죽을 때까지 두 분의 가르침을 깊이 새겨 살아갈 것이며 지금도 마찬가지입니다. 제가 얼마나 어머니, 아버지를 사랑하고 존경하며 자랑스럽게 생각하는지 아시잖아요.

스티브, 존, 태드……. 저의 가장 친한 친구들 부모님은 하나같이 이혼했어요. 그 아이들이 그것 때문에 얼마나 고통스러운 성장기를 보냈는지 모두 알고 계시지요. 얼마 전에 에이즈로 죽은 조지는 어렸을 적 부모의 이혼으로 고통스러워하다 마약에 손대 결국 에이즈에 걸린 거예요.

하지만 우리 가족은 이렇게 화목합니다. 저희 형제들은 커갈수록 더 우애로 뭉치고 있고요. 이 모든 행복은 두 분의 작품입니다. 저희 아홉 형제에게 두 분이 베풀어주신 사랑과 헌신, 희생으로 저희들은 이제 이렇게 사회의 훌륭한 일원으로 성장한 것입니다. 어떻게 그 은혜를 다 갚아야 할지요.

방법은 '단 하나'라고 생각합니다. 제가 한평생 사는 동안 다른 사람을 위해 귀한 존재가 되면 된다고 생각합니다. 그것이 바로 제가 부모님으로부터 받은 사랑을 나눠주는 길이기도 하고요.

거듭 말씀드리지만 겉모습은 다를지 몰라도 안은 하나입니다.

어머니, 아버지. 정말 사랑합니다.

저는 항상 두 분 곁에 있을 것입니다.

1992년 10월 12일

아들 폴 올림

몇 년 후 알게 된 사실이지만 아버지는 편지 첫 구절을 읽고 더이상 쳐다보지도 않으셨다고 한다. 그러나 어머니는 끝까지 다 읽기는 하셨다고 한다. 어머니는 뭔가 이해하고 계셨다. 평소에 내가 종교적인 삶을 살 것이라는 것을 알고 계셨고 그런 나에게 '너는 특별한 아이'라고 격려해주셨다. 만약 수도사나 신부가 되었더라면 어머니는 아주 기뻐하셨을 것이다. 그런데 스님이라니. 더군다나 부모님은 내 여자친구를 딸처럼 생각하셨는데 그녀까지 잃을 생각을 하니 너무 가슴이 아프셨다고 한다.

시간이 흐른 지금 부모님은 나의 삶에 대단한 격려를 보내신다. 그리고 불교가 점점 더 미국에서 영향력을 얻고 있다 보니 나의 종교적 신념에 대해서도 이해를 하신다.

출가 후 몇 년 동안은 집에 가서도 가족들과 불교에 대해 전혀 한

마디도 하지 않았다. 설명할 수 없었기 때문이었다. 그들의 마음속엔 나에 대한 배신감이 가득 차 있는데 내 말이 들어올 리가 없었다. 그런데 몇 년 지나 내가 편집한 숭산스님의 영어 법문집 두 권을 보내드렸을 때 어머니께서는 그것을 읽으시더니 아주 감명 깊었다고 하셨다.

어머니는 생화학박사다. 그리고 엄청난 독서광이다. 역사, 철학, 신학, 과학 등 다방면에 관심을 갖고 있고 아주 넓은 상상력을 가지신 분이다.

어머니께서는 "숭산스님의 가르침은 아주 높은 가르침이다. 이제야 네가 출가한 이유를 알겠구나. 이 선의 가르침은 모든 종교의 종착점이라는 생각이 든다. 존재에 대해 이렇게 높은 가르침을 본 적이 없다"고 말씀하셨다.

어머니는 "나는 내 오랜 종교적 믿음에 대해 강한 확신이 있다"면서 "그러나 나는 너의 길도 인정하마"라고 말씀하셨다.

아! 위대한 나의 어머니.

어디서든지 그리운 한국

어느 날 큰스님께서 나를 방으로 부르셨다. 서울 화계사 생활이 4
년째로 넘어가던 1997년 3월경이었다. 큰스님께서 개인적으로 나를
부르시는 일이 드물었기 때문에 나는 사뭇 긴장했다. 그런데 큰스님
은 난데없이 이런 말씀을 꺼내셨다.

"현각스님, 우리 미국 본사인 프라비던스 젠센터 주지 자리가 비
었습니다. 나는 스님께서 이 주지 일을 좀 맡아주었으면 좋겠네요."

프라비던스 젠센터는 큰스님이 미국에 세운 첫번째 절이다. 미국
에 큰스님이 세운 젠센터 중에서도 가장 오래되고 규모도 가장 큰
절이다. 커다란 선방이 세 개나 되고 주변에 땅도 아주 넓으며 절 입
구에는 높이가 25미터나 되는 크고 높은 7층 목탑이 있다. 아주 아
름다운 절이다. 그 절 주지가 된다는 것은 관음선종, 즉 숭산 큰스님
패밀리에서는 아주 영광스러운 일이다.

나는 큰스님의 제의에 깜짝 놀랐다. 내가 그곳 주지직을 수행할

수 있을지 우선 자신이 없었기 때문이다. 그러나 주지직을 할 수 없
는 다른 이유가 있었다. 큰스님은 기쁜 얼굴로 나에게 제안하고 계
셨지만 나는 그렇지 못했다.

"큰스님, 저는 아직 준비가 되지 않았습니다. 수행을 더해야 합니
다."

"아니에요. 현각스님은 충분히 하실 수 있어요."

"큰스님, 저는 아직 너무 어려요."

내가 하도 완강하니까 큰스님은 좀 실망하시는 눈치였다. 잠시
침묵이 흘렀다.

"그래, 그러면 할 수 없지 뭐."

나는 모처럼 내게 하신 큰스님의 청을 거절했다는 생각에 부끄럽
고 죄송했다.

그런데 며칠 후 큰스님이 또 나를 불렀다.

나는 이미 짐작하고 있었다. 아마 다시 주지일을 권하리라. 아니
나다를까.

"현각스님, 프라비던스에는 젊은 스님을 필요로 하고 있어요. 현
각스님의 에너지가 필요해요. 다른 사람은 할 수 없어요. 정말 현각
스님만이 할 수 있어요."

참으로 난감했다.

왜 큰스님은 내 마음도 모르고 이렇게 나를 곤란하게 하실까. 큰
스님께서 나에게 주지일을 부탁하셨으나 내가 거절했다는 소식이
화계사 국제선원에 착 퍼지자 스님들은 저마다 부러움 섞인 한마디
씩을 던졌다.

"와, 현각스님 대단하다. 큰스님이 프라비던스 젠센터를 맡겼다

고? 와, 큰스님이 얼마나 현각스님을 믿고 계신지 알 수 있는 증거야. 좋겠다, 현각스님."

그런데 정작 나는 하나도 기쁘지 않았다.

두번째 제의를 받던 날 나는 마치 마음속의 큰 비밀을 털어놓듯 비장하게 말씀드렸다.

"큰스님, 저는 미국에 갈 수가 없습니다."

마음속은 찢어지는 듯했다. 큰스님의 청을 받아들여야 했지만 그럴 수가 없었다. 큰스님은 의아해하셨다.

"이건 현각스님에게 큰 경험이 될 수 있어요. 왜 안 가려고 하지요?"

그래, 사실대로 말씀드리자.

"큰스님, 사실은 정말 한국을 떠나고 싶지 않습니다. 제 일은 여기서 찾아야 합니다. 저는 정말 이 나라를 사랑하고 이 나라 사람들과 같이 살고 싶습니다."

하하하. 큰스님께서 무릎을 치며 웃으셨다.

"아이고, 그런 일이면 됐어 됐어. 난 무슨 큰 사정이라도 있는 줄 알았지. 영원히 미국 가서 사는 것도 아닌데 뭘 그래요. 당분간 떠나 있는 거예요. 당장 짐 싸세요."

"큰스님, 정말 죄송합니다. 전 정말 한국을 떠나기 싫어요."

나는 완강했다. 큰스님은 좀 놀라는 눈치셨다. 잠시 후 '알았다'며 나가보라고 하시는데 실망의 표정이 역력했다.

나는 조용히 방을 물러나왔다.

그 소식을 들은 스님들이 "현각스님, 왜 그런 좋은 제의를 거절하세요? 아주 훌륭한 일이에요. 미국으로 가세요" 하며 재촉했다.

다시 사흘이 지났다.

큰스님이 나를 또 부르셨다. 나는 만약 이번에 큰스님이 또 제의를 해오시면 도저히 거절할 수 없으리라 생각했다. 그래, 큰스님이 그렇게 권하시면 가야지, 갈 수밖에 없지.

나는 그분의 방으로 들어갔다. 큰스님은 다시 나에게 주지직을 맡으라고 권하셨다.

"현각스님, 나는 당신이 필요합니다. 나는 당신을 원합니다."

프라비던스 젠센터는 서울 화계사 다음으로 중요한 절이다. 미국에 세워진 숭산 큰스님의 국제교구 본사라고 할 수 있다. 그곳에 나를 보내려고 이렇게 세 번씩이나 간청을 하시는데 어떻게 또 거절한다는 말인가.

"알겠습니다. 그러면 2년만 하면 안 될까요?(보통 주지가 되면 5, 6년은 일해야 한다) 2년 뒤 한국으로 다시 돌아올 수 있도록 해주세요."

"그럼 그럼, 그렇게 하세요."

"동안거도 할 수 있습니까?"

"그럼, 현각스님이 주지니 마음대로 할 수 있지."

"알겠습니다. 미국으로 가겠습니다."

마침내 1997년 4월 미국으로 건너갔다.

나는 한국에서 다기세트, 참선 방석, 서예작품, 한국 미술품 등을 가지고 가 젠센터를 완전히 한국식 전통 사찰로 꾸몄다.

어느 정도 주지생활에 익숙해질 무렵 한국에 대한 그리움이 몽실몽실 피어오르기 시작했다. 매일 한국 가는 꿈을 꾸었다. 가슴속은 너무 슬프고 답답했다. 한국에 있는 친구들은 나의 마음을 읽고 있다는 듯 내게 많은 한국 선물을 보내줬다. 김치는 물론 한국 과자, 뽕짝·가야금 CD를 비롯해 그림, 염주, 김, 녹차, 책, 잡지 등 한국에 관한 것은 모조리 보냈다. 나는 그것들을 읽고 듣고 먹으면서 한국에 대한 그리움을 달랬다.

그러던 어느 날, 한국 친구가 CD 두 장을 보내왔는데 〈서편제〉와 〈김덕수 사물놀이패〉 CD였다. 나는 CD 플레이어에 그것을 올려놓고 들으며 눈물을 흘렸다. 한국의 산하와 사람들이 너무 그리웠다.

'아, 한국으로 돌아가고 싶다.'

어느 날, 조각가인 쌍둥이 동생 그랙이 주말에 나를 자기가 살고 있는 뉴욕 아파트로 초청했다. 동생 친구들 중에는 예술가들이 많았는데 그들 중 몇몇이 불교에 관심이 있다고 해 저녁에는 그들도 만나보기로 했다.

나는 동생과 시간을 보내다 저녁 약속 시간이 돼 나갈 준비를 하다 갑자기 CNN 방송에서 나온 프로그램 광고를 보았다. 곧이어 아홉 시에 〈북한의 실상〉(Inside North Korea)이란 제목으로 북한을 취재한 보도 프로그램을 방영한다는 것이었다. 안내 방송에는 기아에 허덕이는 어린이들 사진이 지나갔다.

나는 순간적으로 그랙에게 아홉 시에 저 프로를 꼭 봐야 하니 밥 먹다가 시간이 되면 일어나겠노라고 말했다. 그랙은 친구들이 얼마나 형을 기다렸는데 말도 안 된다며 마음을 바꾸라고 종용했다.

나는 동생 친구들과 함께 밥을 먹으면서도 시계를 계속 들여다보았다. 마침내 일어날 시간이 되자, 일행들에게 양해를 구하고 나는 자리에서 일어났다. 그들의 서운해하는 눈길이 등뒤에 꽂혔지만 할 수 없었다.

나는 그대로 그랙의 아파트로 돌아왔다. 그리고 내내 TV를 지켜보았다. 먹지 못해 뼈만 남은 아이들, 퀭한 눈들, 몸은 완전히 말라붙어 머리만 기형적으로 큰 아이들. 너무 슬퍼 눈물이 흘렀다. 저들도 한국 사람 아닌가. 그런데 왜 저들에게 저런 천형과 같은 고통이 내리는 것일까.

많은 영화와 TV 프로그램을 보았지만 그렇게 눈물을 흘려가며 본 적은 없었다. 프로그램이 끝날 무렵 그랙이 들어왔다. 그래도 내가 걱정이 됐는지 친구들과 그냥 차만 마시고 들어왔다는 것이다. 그는 내가 눈물을 흘리는 것을 보면서 깜짝 놀랐다.

"무슨 일이야? 왜 그래, 형?"

"저것 좀 봐라. 저런 고통이 이 세상에 어디에 있어?"

"형, 저건 우리나라 일이 아니야."

"무슨 소리야. 저 나라가 바로 내 나라야."

혼자말처럼 중얼거리는 내 말에 그는 충격을 받은 듯했다. 형이 완전히 미쳤구나 하는 표정이었다.

나는 더이상 그에게 아무것도 설명할 수가 없었다. 그 뒤부터는 미국 생활이 더 힘들어졌다. 주지 생활도 너무 견디기 힘들었다.

그러던 어느 날, 한국에 돌아가고 싶다는 나의 바람은 전혀 엉뚱한 곳에서 이뤄졌다.

그해 11월에 화계사로부터 전화 한 통을 받았는데 〈아리랑〉 국제방송에서 외국 스님의 만행기를 촬영하고 싶다고 요청이 왔다는 것이다. 여러 스님들이 의논한 결과 현각스님이 적격인 것 같으니 빨리 서울로 돌아와 촬영에 임하라는 말이었다.

무슨 뜬금없는 말인가 싶어 좀 당황했지만 일단 한국에 갈 수 있는 기회인 것 같아 내심 너무 기뻤다. 더구나 이번 일이 국제 선원을 홍보하고 숭산스님의 가르침을 널리 알리는 계기가 될 것이라고 해 마음이 더 움직여졌다. 또 큰스님께서도 좋은 일이라며 허락하셨다고 하니 금상첨화였다.

나는 드디어 그해 10월말 다시 한국으로 돌아왔다. 김포공항에 내리자마자 한국의 땅 냄새가 뼈에 사무치는 것 같았다. 아…… 이 그리운 냄새와 공기.

제작진들과 만나 한국의 산하 이곳저곳을 돌아다니는 촬영이 시작되었다. 촬영은 한 달간 진행되었다. 힘들었지만 한국에 와 있다는 것 자체만으로도 너무 기뻤다. 그리고 마침내 다시 미국으로 돌아가야 했다. 정말 돌아가기 싫었지만 어쩔 수가 없었다.

미국에 돌아가 짐을 풀자마자 나는 청천벽력 같은 소리를 들었다. 한국에 IMF가 터져 온 나라가 6·25 이래 최대 위기에 빠졌다는 것이다. 나는 너무 걱정이 돼서 신문, 방송을 끼고 살았다. 아침에 일어나자마자 뉴스를 틀어놓고 전날 밤 한국에 무슨 일이 있었나 점검했다. 수많은 사람들이 직장에서 쫓겨나고 날이 갈수록 경제는 악화되고 있다는 소식뿐이었다.

그러던 어느 날 나는 〈뉴욕 타임스〉 1면에 난 사진을 보고 그만 눈물을 흘리고 말았다. 아기를 업은 한국의 아줌마, 두꺼운 스웨터를 껴입은 할머니들이 은행 앞에 장사진을 친 사진이었다. 그 사진 아래에는 한국이 경제 위기를 해결하기 위해 전국민이 '금 모으기 운동'에 나섰다는 설명과 함께 전국의 한국인들이 아기 돌반지며 결혼반지까지 내놓고 있다는 설명이었다.

슬픔이 복받쳐 자꾸만 눈물이 흘렀다. 정말 한국으로 돌아가고 싶었다. 아니 돌아가야 한다고 다짐했다. 나라의 고통이 나의 고통이라고 생각하는 이 착한 사람들.

미국 같으면 상상할 수도 없는 일이다. 너도 나도 한마음이 되는 나라가 바로 한국인 것이다. 정말 감동적이었다. 그래 바로 이런 것 때문이야, 내가 그토록 한국을 사랑하는 이유는. 나라의 고통을 해결하기 위해 자기 것을 내놓는 사람들. 마음 한켠에선 자랑스러운 마음까지 일었다. IMF 위기조차도 그들의 이런 순수한 마음까지 빼앗아가지는 못한다는 생각이 들었다. 그 어떤 것도 그들에게 '할 수 있다'는 마음을 빼앗아가지 못하리라.

나는 그때부터 시간이 나는 대로 큰스님께 전화를 했다.

"큰스니임…… 돌아가고 싶어요."

"한국으로 보내주세요."

아마 내가 미국인이었기 때문에 큰스님에게 이런 어린애 같은 간청도 가능했으리라. 한국의 승가라면 상상도 못할 일이다.

어쨌든 나의 간청에 큰스님도 어쩔 수가 없으셨는지 어느 날 미국으로 직접 전화를 해서 "좋다. 지도법사 한 분을 구했으니 한국으로 들어오라"고 하셨다. 나는 그날로 당장 한국 가는 비행기 표를 끊었다. 그때가 1998년 1월말이었다.

아무것도 원하지 않는 삶

　많은 사람들은 나에게 "스님생활이 어렵고 힘들지 않느냐. 속세에서 자유롭게 살다가 이것저것 지켜야 할 게 많은 스님 생활을 계속 할 것이냐"고 묻기도 한다. 나는 그런 이야기를 들을 때마다 약간 당혹스러워진다. 스님생활이야말로 지금까지 내 삶에서 가장 행복한 경험인데 말이다.

　나는 승려의 길을 선택한 것이 내 인생 최고의 선택이었으며 그런 인연을 가진 것에 대해 아주아주 운이 좋은 사람이라고 생각한다. 물론 나는 스님이 되기 전에 많은 일을 할 수 있었고, 가질 수 있었다. 돈을 많이 벌 수도 있었고 아름다운 아내와 아이들과 함께 큰 집에서 살면서 주말이면 차를 몰고 피크닉을 가고 저녁이면 맛있는 식당에서 밥을 먹고…… 무엇이든 할 수 있었다. 그것도 세계에서 가장 부자 나라에서 말이다.

　사람들은 나에게 그렇게 달콤한 속세의 것들을 어떻게 버릴 수 있었느냐고 말하지만 사실 나에게 그것들은 달콤한 것이 아니었다. 좀 심하게 말한다면 '꿀'이 아니라 '독'이라고나 할까.

스님이 되기 전 내 삶은 항상 무언가를 좇는 삶이었다. 명예를 좇고, 지위를 좇고, 욕망을 좇고, 사랑을 좇고, 돈을 좇고, 직장 상사를 좇고, 부모님과 선생님의 생각을 좇고, 친구들의 뜻을 좇고, 기회를 좇고…… 끝없이 좇고 좇고 또 좇는 삶이었다.

아침에 눈을 떠서 잠자리에 들 때까지, 아니 잠을 자면서 꿈을 꿀 때조차 말이다.

이것은 모든 사람들이 다 마찬가지다. 머리가 좋고 재능이 많은 사람일수록 더욱더 이런 상황에 내몰리기 쉽다. 그게 세상이다. 한국이든 미국이든 다를 게 없다. 재미있는 것은 우리가 그렇게 잠자리에서조차 무언가를 얻으려고 아등바등하지만 결국 우리는 아무것도 얻을 수 없다는 사실이다. 설사 원하는 것을 얻는다 하더라도 그것은 일순간이다. 영원한 것은 아무것도 없다.

하버드와 예일에서 공부할 때 나는 세계적으로 유명한 교수님들로부터 배웠다. 나를 비롯한 내 친구들의 꿈이란 바로 그런 교수님들처럼 사는 것이었다. 왜냐하면 그들에게는 사회를 움직이고 영향력을 끼칠 수 있는 힘이 있어 보였기 때문이다.

그러나 정작 그들의 삶이란 피곤과 스트레스의 연속이었다. 스물네 시간 온통 일, 일, 일, 일에 휩싸였고 항상 무언가를 좇고 있었다. 다른 사람들이 자신의 견해와 다른 의견을 내놓을까봐 두려워했고 그들의 질투 때문에 괴로워했다. 혹 실수라도 할까봐 두려워했으며 자기 잘못이 드러나면 자존심의 상처 때문에 견딜 수 없어했다.

내 친구들 중에는 꿈을 이뤄 교수가 된 친구들이 많다. 교수가 되는 순간 그들은 마치 세상을 다 얻은 것처럼 행복해했다. 그러나 그들은 이내 일에 둘러싸였고 선배 교수님들로부터 받는 압력, 학생들의 요구에 시달렸으며 참가하기 싫은 학회 모임에 억지로라도 참석해야 했다. 많은 친구들이 그런 상황을 벗어나기 위해 술과 여자에 의지했다. 말로는 진리를 얘기했지만 정작 그들의 삶은 달랐다.

현대사회는 소비사회다. 소비를 하지 않는 사람은 이 사회에서 쓸모없는 인간이다. 이 사회는 계속 우리에게 뭔가 얻어야 한다고 말하고, 사야 한다고 말하고, 해야 한다고 말한다. 이런 사회의 운영 코드는 우리 머릿속에 입력되어 우리 역시 계속 뭔가를 해야 하고 뭔가를 얻어야 한다고 생각한다. 그렇게 사는 삶이 행복을 가져다준다고 믿는다.

많은 중국 선사들은 '무위'에 대한 얘기를 많이 한다. 아무것도 하지 않는 것이 아니다. 갈망하지 않는 것이다. 싸우지 않는 것이다. 집착하지 않는 것이다. 원하지 않는 것이다.

바람에 흔들리는 나뭇가지를 보라. 나뭇가지는 움직인다. 뭔가 하는 것이다. 그렇다고 나무가 고통스러워하는가. 나무는 아무것도 원하지 않기 때문에 부족한 것이 없다. 흘러가는 물도 마찬가지다. 한 방울 물이 바위를 뚫기도 한다. 물의 힘은 무한대다. 이 또한 마찬가지다. 그것이 바로 무위다. 무위란 바로 빈 행위(empty action)를 말하는 것이다.

대부분 사람들에게 마음과 행동은 분리되어 있다. 따라서 내가 처한 현실과 내가 원하는 마음은 분리되어 있다. 그것이 고통을 만들어낸다.

종종 우리는 이 순간을 살지 않고 과거나 미래에 산다. 지금 이

순간을 잊어버리고 지난 일에 대한 후회와 앞으로의 일에 대한 걱정과 두려움, 흥분과 기대로 산다. 밥을 먹으면서도 운전을 하면서도 생각은 길들지 않은 야생마처럼 이쪽 저쪽을 돌아다닌다. 단 한순간도 만족하는 법이 없다.

스님의 삶이란 매순간 아무것도 원하지 않는 삶이다. 바로 이순간 있는 그대로 완벽한 삶이다. 진정한 자유인의 삶이다.

나는 집도 없고 옷도 없고 의료보험도 없고 차도 없다. 하지만 행복하다. 매일매일 자유롭고 하루하루 새로 살고 있다는 생각을 갖고 있다. 내 뺨을 스치는 바람, 귓가에 들려오는 새소리, 코에 닿는 향냄새, 혀로 느끼는 차의 맛, 바로 이 순간의 삶이 진리의 삶이다.

그러나 스님의 삶이 나만의 자유를 위한 삶인가. 그것은 절대 아니다. 내가 먹는 밥, 내가 자는 곳, 내가 입는 옷, 이 모든 것은 어디서 왔는가. 수많은 사람들이 치열한 삶의 현장에서 열심히 일해 나에게 준 것들이다. 나는 그들에게 순간순간 빚을 지고 있는 것이다.

그러므로 열심히 공부하고 수행하는 삶을 통해 일체 중생들을 제도해나가는 삶만이 그들에게 진 빚을 갚는 일이다. 또한 내 능력이 모자람에도 불구하고 한국 불교를 세계에 널리 알리는 일이야말로 내가 해야 할 일이라고 생각한다.

나의 전생 이야기

사람들은 또 나에게 이렇게 묻는다. 티벳 불교도 있고 중국 불교도 있고 일본 불교도 있는데 왜 한국 불교를 선택했느냐. 그리고 나를 아는 분들은 어쩌면 그렇게 한국 생활에 적응을 잘하느냐고 감탄을 한다.

사실 그분들은 외국인인 내가 한국의 새로운 환경에 적응하며 살아내기가 쉽지 않을 것이라는 걱정에서 그런 말들을 하시지만, 실제로 나는 이곳 한국에 살면서 한번도 '외국'에 나와 있다거나 '고향'을 떠나 있다거나 하는 생각이 들지 않는다.

미국에서 김치와 된장찌개를 처음 맛보았을 때, 케임브리지 젠센터에서 가야금 소리를 처음 들었을 때, 법수스님 방에서 한국 사찰사진이 실린 달력을 처음 보았을 때, 그때마다 나는 내 안에서 한국의 모든 것을 너무 익숙하게 받아들이고 있다는 사실에 놀랐다.

가끔 형제들·친구들·부모님들이 편지를 보내 "언제 '집'에 오느냐"고 재촉하신다. 그런데 정말, 나는 이상하게도 미국집이 내 집이라는 생각이 들지 않는다. 물론 나는 내가 태어난 미국땅과 가족들을 사랑한다. 정부에 대해서는 비판적이었지만 진취적이고 도전적인 미국인들을 자랑스럽게 생각하며 사랑하고 존경한다. 그러나 미국에서 태어나 살고 자라면서도 한번도 조국에 대한 애틋함이나 가슴 뿌듯함 같은 것은 느껴본 적이 없었다.

하지만 10년 전 한국에 왔을 때 나는 태어나 처음으로 고향에 왔다는 생각을 했다. 한국의 산이 아름답고 절이 아름답고 음식도 맛있고 그런 것 때문일 수도 있지만 그것이 전부는 아닌 것 같다. 나는 수많은 나라를 여행했다. 그러나 고향 같다고 느낀 나라는 한국이 처음이다. 한국 다음으로 독일이 좀 친근했다고나 할까.

나는 한국인들이 남의 나라 사람 같지가 않다. 참 설명하기가 어렵다. 내가 갖고 있는 한국에 대한 사랑을 이해하고 싶다면 황병기 씨의 가야금 연주소리를 한번 들어보라고 권하고 싶다. 아니면 조선시대 최고의 화가들 중 한 사람이었던 정선의 그림을 보시라. 아니면 고속도로 휴게소에서 흘러나오는 뽕짝을 들어보시라. 추운 겨울날 길거리에서 호떡을 먹어보시라. 인사동의 낡은 찻집에서 쌍화차를 마셔보시라. 아니면 〈서편제〉 CD를 사서 들어보시든지. 특히 비 오는 가을 날 듣는 〈서편제〉 소리는 얼마나 내 마음을 아프게 하는지 모른다. 바로 이런 감정, 이런 느낌, 이런 경험, 이런 의식이 내가 한국에 대해 갖고 있는 것이다.

나와 한국 불교에 대한 인연도 참 묘하다. 미국에서 불교 공부를 하고 싶어했을 때 뉴욕의 내 집 옆에는 뉴욕 젠센터(Zen Community of New York)라는 아주 유명한 젠센터가 있었다.

그러나 정작 내가 정말 수행을 하고 싶어졌을 때 그곳을 찾았지만 도저히 들어갈 수가 없어 발길을 돌렸다. 나중에 알고 보니 그곳은 일본 젠센터였다.

그리고 몇 달 뒤 숭산스님이 운영하시는 케임브리지 젠센터는 일말의 주저도 없이 들어갔던 것이다. 편안함을 느꼈다. 나는 일본 불교와 한국 불교가 어떻게 다른지 몰랐다. 심지어 한국의 문화와 일본의 문화가 어떻게 다른지조차 몰랐다. 동양이라면 다 비슷하다고 생각했다.

참선수행에 그렇게 걸신들린 듯했으면서도 일본 젠센터는 왜 들어가지 못했을까. 또 한국 선에 대해서는 아무것도 몰랐으면서도 케임브리지 젠센터에 들어갔을 때는 어쩌면 그렇게 친근하게 느껴졌었을까.

나는 내가 전생에 한국인이었음을 강하게 확신하고 있다. 그것말고는 나와 한국에 대한 인연을 설명할 수가 없다.

'나의 전생'에 관해 아주 재미있는 경험을 한 적이 있다.

1990년 한국에 처음 왔을 때 큰스님 밑에서 계룡산 신원사 동안거에 들어갔다. 안거가 끝나고 나는 수유리 삼각산 화계사로 돌아왔다. 어느 날 점심 공양을 마치고 절 뒤뜰을 거니는데 대웅전 앞을 오르려다 갑자기 어느 스님 방에서 울려퍼지는 웬 음악소리에 발길을 멈췄다. 그 음악의 멜로디가 내 발길과 귀를 사로잡은 것이다. 나는 완전히 충격에 사로잡혀 더이상 걸을 수가 없었다.

천천히 스님 방 앞으로 발길을 옮겨 방문 앞에 섰다. 멜로디를 계속 듣는 동안 내 안에서는 아주 벅찬 느낌이 솟아올랐다. 슬픈, 아니

슬프다기보다 애잔하다고나 할까, 목구멍까지 뜨겁게 달아올랐다. 그리고는 심지어 내 눈에서 갑자기 눈물이 한 줄기 흘러내렸다. 그동안 살아오면서 노래 한 곡에 그렇게 내 감정이 울렁거린 경험은 처음이었다. 노래가 흘러나오는 동안 스님 방문 앞을 떠날 수가 없었다.

나는 이 노래가 아마 한국의 오랜 전통 민요이거나 농부들 사이에서 구전되어오는 판소리 가락 같은 것이라고 생각했다. 그리고 이내 내가 그동안 참선수행을 너무 열심히 해서, 첫사랑에 빠진 사람처럼 한국에 대해 무슨 콩깍지 같은 게 씌워져서 좀 이상해졌나 하는 생각까지 하면서 방으로 돌아왔다.

동안거를 마치고 다시 미국으로 돌아간 뒤에는 그 노래를 다시 들을 수 없었고 내 기억 속에서 노랫가락도 희미해져갔다.

그러다 다시 그 노래를 만난 게 1995년 여름이었다. 이미 출가를 해 화계사에서 살고 있는데 동국대에서 여름방학 기간 동안 불교경전을 영어로 강의해 달라는 부탁이 왔다.

내 강의 스타일은 좀 독특하다. 가능하면 교실 밖을 벗어나 식당이나 잔디밭에 둘러앉아 노는 것인지 공부하는 것인지 모를 정도로 편하게 한다. 어떤 날은 식당에서 떡국이나 라면을 함께 먹으면서 수다를 떨 듯 강의를 하기도 했다.

그러던 어느 날, 그러니까 8월 15일이었다. 그날이 광복절이란 것은 익히 알고 있었다. 원래 그날은 공휴일이라 휴강일이었으나 학생들 중 몇몇이 강의를 원해 우리는 식당에 자리를 잡고 앉아 공부를 하고 있었다. 식당에는 큰 텔레비전이 있었는데 마침 8·15광복절 50주년 기념식이 생방송으로 방영되고 있었다. 김영삼 대통령을 비

화계사 가는 길. 4호선 지하철 안에서

©김홍희

롯한 내로라 하는 정치인들, 퇴역군인들, 광복인사들이 참여하는 큰 행사였다.

그런데 갑자기 텔레비전에서 어떤 노랫가락이 흘러나왔다. 장중하지만 너무 친근하게 다가오는 저 가락. 갑자기 내 눈에서 눈물이 흘러내렸다. 가슴속에 아주 깊고 무거운 것이 가라앉는 느낌이 생겼다.

한 학생이 내 얼굴을 보더니 "아이고, 현각스님이 우시네, 현각스님 왜 우시는 거예요?" 하며 놀려댔다. 나는 너무 창피해 뛰다시피 화장실로 갔다. 휴지를 집어들고 눈물을 닦으면서 바로 그 노래가 5년 전 화계사 스님 방 앞에서 들었던 '그 노래'라는 것을 기억해냈다.

'이게 도대체 무슨 노래지? 무슨 노래인데 들을 때마다 이런 느낌이 드는 걸까?'

그해 겨울이 돌아왔다.

나는 경주 남산의 작은 암자인 천룡사에서 혼자 백일 기도를 했다. 작은 토굴에서 매일 2천 배를 하고 참선수행을 했다. 하루 네다섯 시간만 잤다. 밤 아홉 시에 다시 일어나 열한 시까지, 그리고 새벽 한 시 반에 일어나 세 시 반까지 새벽수행을 했다. 끼니는 아침과 점심만 먹었다.

천룡사 2백 미터 아래에는 작은 집이 하나 있었는데 그곳에 사는 노보살님 한 분이 내 아침과 점심공양을 챙겨주셨다. 그 보살님은 천룡사를 관리하는 분이기도 했다.

당시 나는 묵언수행을 할 때라 보살님과는 그저 눈인사만 나누었다. 내가 매일 아침, 점심공양을 먹으러 그곳에 갈 때마다 그 노보살님은 부엌에서 음식을 만들거나 옆방에서 다리미질을 하거나 바느질을 하셨는데 항상 TV를 켜놓고 계셨었다.

어느 날 그곳에서 점심공양을 하고 있을 때였다. 밥을 먹다가 나는 갑자기 옆방에서 흘러나오는 음악소리를 듣고 입으로 가져가려던 숟가락을 그대로 든 채 멈췄다.

바로 그 노래였다.

나는 노래가 끝날 때까지 가만히 듣고 있다가 이내 숟가락을 놓고 다시 암자로 향했다. 토굴로 다시 돌아왔지만 그 노래에 대한 생각 때문에 참선수행을 제대로 할 수 없었다. 도대체 이게 무슨 노래냐. 유행가냐, 영화음악이냐, 한국의 전통 노래 같긴 한데 도대체 무슨 노래인지 모르겠다.

그러던 어느 날이었다.

그날도 점심공양을 하는 날이었는데 갑자기 TV 소리가 커지더니 보살님이 바깥에서 일하는 할아버지를 큰소리로 불렀다. 빨리 와 텔레비전을 보라고 난리를 치셨다. 나도 무슨 일인가 궁금해 보살님 방으로 건너가 TV를 보았다. 북한에서 일가족이 귀순해와 프레스센터에서 기자회견을 하고 있었다. 방송이 끝나고 다시 내 방으로 돌아와 점심을 먹기 시작했는데 갑자기 그 노래가 또 울려 퍼졌다.

궁금함을 참을 수 없었지만 묵언수행중이었기 때문에 아무에게도 물어볼 수가 없었다.

마침내 백일 기도를 마친 후 나는 남산을 여기저기 오르다 남산의 한 암자에서 수행하는 나이 든 스님 한 분을 만났다. 그 스님은 암자에서 수행만 하면서 사셨다. 마침 젊은 스님 한 분이 옆에 계셨는데, 그 스님께 이것저것 전해주기 위해 들렀다고 했다. 그분들과 차를 마시며 이런저런 얘기를 하다 갑자기 젊은 스님이 나이 든 스님을 가리키며 '이 분은 전생을 아주 잘 보시는 스님'이라고 소개했다. 나는 마침 지난 기도 기간 내내 궁금했던 것이 하나 있었다며 그 스님에게 여쭈었다. 절망에서 영한사전을 들고 서툰 한국말을 이어갔다.

"스님, 제가 한국에 와서 어떤 노래를 들을 때마다 눈물이 막 나왔어요. 목과 가슴에서 막 슬퍼요. 이런 일 나에게 한번도 없었어요."

"무슨 노래야?"

"몰라요."

"제목이 뭐예요?"

"몰라요."

"가사가 뭐예요?"

"잘 몰라요……."

"멜로디 알아요?"

나는 잠시 멈추었다 노랫가락을 애써 기억해냈다.

"……딴 따아아아따따 따안…… 따 따딴."

내 허밍이 끝나기도 전에 갑자기 스님들이 웃어댔다.

"그거 애국가 아냐, 애국가."

"애국가? 애국가가 뭐예요?"

"우리나라 국가, 나라 노래 말이에요."

나는 사전을 뒤졌다.

'국가= National anthem.'

"오, 나라 노래! 그런데 저는 왜 그 노래를 들을 때마다 눈물 막 흘려요? 그리고 목, 가슴 마악 아파요?"

"전생에 스님은 한국 사람이었어요. 나는 아주 잘 보입니다."

그러면 그렇지, 평소 내가 생각하고 있었던 것을 그 스님에게서 확인받았다는 느낌이 들었다.

그후 나는 이 이야기를 몇 년 동안 아무에게도 하지 않았다. 하도 신비한 경험이라 나 혼자만 가슴속에 묻어두고 싶었다. 언젠가 큰스님께 여쭤볼 기회가 있으면 여쭙기로 하고 말이다.

그런데 작년 여름 화계사 국제선원에서 하안거를 할 때 드디어 큰스님께 나의 전생에 대해 여쭐 기회가 생겼다. 매일 아침 큰스님은 국제선원에서 아주 짧은 법문을 하셨는데 법문 후 질의 응답이 있었다. 나는 모든 스님들 앞에서 큰스님께 궁금증을 털어놓았다. 그동안 화계사, 동국대, 남산에서 겪었던 일을 다 얘기했다.

"큰스님, 왜 이런 일이 제게 일어나지요? 한국 사람들조차 애국가를 들어도 그 정도는 아니라고 하는데 왜 저만 그렇게 유난스러울까요?"

큰스님은 하하하 크게 웃음을 터뜨렸다. 그리고 이렇게 말씀하셨다.

"나는 이미 스님의 업을 알고 있어요. 전생에 스님은 한국 독립군이었습니다."

"예?"

"전생에 스님은 일본 군인이 쏜 총에 맞아 죽은 한국인이었다, 이 말입니다. 스님은 한국이 일본 식민지 통치를 받고 있을 때 일본으로부터 독립하기 위한 운동을 했습니다. 그러다 전쟁에 나가 열심히 싸워 일본군을 많이 무찔렀지요. 그런데 어느 날 일본 군인의 총탄에 맞아 죽게 된 것입니다. 죽을 때 스님은 너무 한이 맺혀 '아, 나는 다음 생에는 아주 강한 나라에 다시 태어나고 싶다. (큰스님은 이 부분에서 목소리에 힘을 실었다) 그리고 다시 한국으로 돌아와 조국을 위해 살겠다'고 소원했습니다. 그래서 스님은 미국에서 태어나 다시 한국으로 돌아온 겁니다. 스님은 한국과 아주 강한 업을 갖고 있습니다. 거기다 전생에 나라를 찾기 위해 자기를 희생한 독립군이었습니다. 그러니 보통 한국 사람들보다 애국가를 들을 때 더 강한 느낌을 갖는 게 당연하지요, 하하하."

큰스님의 웃음에 좌중은 웃음바다가 되었다.

나도 따라 웃었다. 나는 큰스님 말씀을 듣고 놀랐다거나 하지는 않았다. 비로소 가슴속 체증이 풀리는 듯한 시원함이 느껴졌다고나 할까. 이미 내가 강하게 확신하고 있었던 내 전생을 큰스님으로부터 확인받았다는 생각에 안도감이 느껴졌다.

'독립군이라…… 아아! 바로 그것 때문이었구나…….'

전생 경험에 대한 재미있는 경험이 한 가지 더 있다.

작년 11월초 나는 지리산이 있는 전남 구례 천은사 위 상선암 옆 토굴에서 백일 기도를 했다. 프라비던스 젠센터 주지를 하느라고 바쁘다는 핑계로 수행을 게을리했기 때문에 다시 한국 생활을 시작하면서 다른 스님들 동안거 때에 맞춰 나는 혼자 토굴수행을 한 것이다. 천은사 주지스님과 당시 상선암 주지스님이었던 지인스님(현재 전남 곡성 관음사 주지)의 가르침과 도움이 없었다면 그 수행은 불가능했다. 그곳에는 전기도 수도도 없고 나무를 때서 난방을 해야 했다. 1백 일 동안 나는 솔잎가루와 약간의 과일만 먹으면서 묵언수행을 했다. 매일 1천3백 배를 했고 '신묘장구 대다라니' 염불수행을 했다.

기도를 시작하고 이틀 가량 지났을까, 내 맘은 점점 맑아졌다. 그런데 목탁을 두드리면서 염불에 몰두해 기도를 할 때 어느 순간 갑자기 귀에서 어떤 이상한 소리가 들리기 시작했다. 처음에는 그저 환경이 갑자기 바뀌어서 들리는 환청 같은 것으로만 생각했다. 환청은 환청이었다. 소리에 놀라 방문을 열어보면 지나가는 바람밖에 없었으니까.

날이 갈수록 귓속에서 울려퍼지는 소리는 계속되었을 뿐만 아니라 더 크게 들렸다. 이상한 것은 내가 목탁을 치고 염불을 할 때만, 특히 한밤중 염불 때면 유난히 크게 들렸다. 사흘, 나흘이 지나자 그 소리들은 점점 명확해졌다. 울음소리, 비명소리였다.

나는 그 소리들이 들릴 때마다 몇 번이나 목탁 치는 것을 멈추고 바깥에 귀를 기울였다. 그러면 그저 나무를 스치는 바람소리만 휘잉 지나갔다. 그리고 다시 염불을 하면 여지없이 그 비명소리, 외침, 울음소리들이 들려왔다. 나는 무서웠다. 일단 어둠이 내리면 방안에 촛불 하나 켜놓고 일체 바깥 출입을 하지 않았다. 화장실도 가지 않았다. 귀에서 들리는 소리 때문에 등줄기에 식은땀이 흐르고 머리가 쭈뼛쭈뼛 곤두섰다.

그렇게 정확하게 3주일이 지나 기도 22일째 되는 날이었다. 한순간에 그 소리들이 사라졌다. 더이상 아무 소리도 들리지 않았다. 그리고 이내 내 마음도 평화로워졌다. 아무런 두려움도 일지 않았다. 마치 어릴 적 성당에 다닐 때 아기 천사들이 부르는 성가를 듣는 것처럼 그렇게 마음이 평화로워졌다. 참으로 신비한 경험이었다.

수행이 끝나고 지인스님께 여쭈었다. 지인스님은 곰곰이 생각을 하시다 뜻밖에 지리산의 빨치산 역사를 이야기하셨다. 나는 그때 지리산도 처음이었거니와 지리산에 대해서는 아무것도 몰랐다. 지리산에 얽힌 피로 얼룩진 한국 현대사를 들으면서 너무 놀랐다. 그리고 이념으로 부모와 형제가 나뉘어 이 지리산 자락에서 총구를 겨눴던 슬픈 역사를 들으면서 가슴이 아팠다.

그때 지인스님 옆에는 화엄사 스님이 한 분 계셨는데 내 기도 경험을 들으시면서 사람들이 억울한 죽음을 당했을 때 누군가 아주 열심히 염불을 해주면 그들의 영혼이 자유로워진다면서 아마 나의 염불기도가 빨치산 영혼들의 한을 풀어주는 일이 되었을 것이라고 말씀해주셨다. 참으로 신비한 일이 아닐 수 없었다. 그 스님의 말씀을 내가 입증할 수는 없지만 나는 그 일을 통해 한국이라는 나라와 나와의 강한 인연의 끈을 다시 한번 경험했다.

때때로 나는 '인연'이나 '전생'이 실제로 있느냐는 질문을 자주 받는다.

많은 사람들은 전생이니 인연이니 업이니 하는 것을 불교만의 독특한 가르침이라고 생각하는데 그것은 아니다.

소크라테스는 제자들에게 '기억수행'이라는 독특한 수행을 통해서 각자 '이전의 존재'를 인식하도록 격려했다. 그는 제자들에게 이른바 '회상'(anamnesis)이라는 깊은 기억과정을 사용한다면 그들의 과거 삶의 진정한 실체를 알 수 있을 것이라면서 환생이 사실이며 우리 존재의 실체라는 것을 인정했다.

소크라테스뿐만 아니라 미국의 위대한 철학자 에머슨과 휘트먼 같은 전설적인 시인들도 전생에 관해 많은 글을 썼다. 그들은 전생이라는 것을 그저 머릿속에서 생각으로 지어낸 관념이 아니라 자기들 자신의 경험에 의거한 직관이라고 말했으며 그에 대한 증거로써 불교 경전을 자주 인용했다.

현대 과학에서는 신경정신학계를 중심으로 전생 경험에 대한 많은 연구결과들이 있다.

일례로 몇 년 전에 미국에서는 《나는 환생을 믿지 않았다》(Many Lives Many Masters)라는 책이 대형 베스트셀러가 된 적이 있다. 이 책은 1997년 한국에도 번역 출간되어 큰 반향을 불러일으킨 것으로 알고 있다.

책의 저자인 브라이언 와이스 박사는 미국 정신의학계를 대표하는 인물 중 한 사람이다. 그는 지독한 악몽과 공포증에 시달리던 젊은 여성 캐서린을 치료하면서 의외의 상황에 직면해 혼란에 빠진다. 병의 원인을 찾기 위해 최면상태에서 유아기의 기억으로 거슬러 올라가는 요법을 시행하는 도중 뜻밖에 그녀의 전생과 만난 것이다.

황당하게만 들릴 게 분명한 비정통적인 이야기를 공개한다는 것이 과학자로서의 명성과 경력에 큰 타격을 줄 수도 있음을 잘 알고 있었던 브라이언 박사는 그러나 신념과 용기를 갖고 이 책을 펴냈다. 그리고 그 책은 전 미국인들에게 큰 충격을 주었다. 전생에 관해서 더 깊은 이해를 원하는 독자들은 이 책을 참조하기 바란다.

불교의 세 가지 보물

출가하기 전 나는 다양한 경험을 했고 수많은 사람들을 만났다. 예일 대학, 하버드 대학원, 뉴욕 생활, 그리고 홍콩·프랑스·독일·이탈리아·아일랜드 등 여러 나라에서 겪은 내 인생에서 결코 잊을 수 없는 경험, 잊을 수 없는 사람들……. 나는 그 속에서 엄청나게 많은 것을 배웠다.

그러나 이름과 모양만 다를 뿐 우리 사회를 운영하는 인간관계의 기본 코드는 경쟁이다. 극단적으로 얘기하면 오직 생존을 위한 룰(rule)만이 있을 뿐이다. 마치 수영장에서 수영을 처음 배우는 사람들처럼 말이다. 수면 위로 머리를 내놓고 팔다리로 물살을 사정없이 가르면서 물 속에 빠지지 않기 위해 안간힘을 다한다.

명예를 얻고, 돈을 벌고, 지위를 얻기 위해, 그리고 아름다운 차, 아름다운 연인, 아름다운 집을 얻기 위해 달리고 또 달린다. 결코 만족이 없다. 오직 투쟁과 쟁취만이 있을 뿐이다. 이것이 나의 출가 전생활의 결론이다.

그러나 출가한 이후 나는 완벽하게 다른 삶을 살고 있다.

불교에는 불(佛)·법(法)·승(僧)이라는 세 가지 보물[三寶]이 있다. 이 세 가지 보물은 삶이라는 거대한 폭풍으로부터 우리를 안전하게 보호해주는 배와 같은 것이다. 불이란 곧 부처이다. 부처의 삶을 따라 사는 것이다. '법'은 지혜와 자비의 마음을 갖고 부처님 말씀을 나누고 가르치는 것이다. 사람들은 '불'과 '법'에 대해서는 잘 아는데 세번째 보물인 '승'에 대해서는 좀 좁은 견해를 갖고 있다. 세번째 보배인 '승'에 대해 어떤 사람들은 단순히 스님 사회만으로 인식하는 경향이 있는데 '승'이란 사실 이보다 훨씬 더 큰 개념이다. '승'은 출가를 했든 안 했든 지혜와 진리를 찾고 싶어하는 모든 사람들을 가리킨다. 아니, 더 깊은 의미로 이 세상 모든 살아 있는 것들을 아우르는 개념이다. 따라서 이 세상 우주에 살고 있는 생물 중에서 '승'에 속하지 않는 것들은 없다.

매일매일 스님들과 함께 살면서 수행하는 승려의 삶이야말로 불·법·승 삼보의 요체를 사는 삶이다. 그리고 이것이야말로 출가 이후 내가 받은 최고의 선물이다.

물론 스님들도 인간이다. 그렇기 때문에 모든 속가와 같이 질투와 시기가 있고 다툼이 있다. 사람들은 그런 승려들의 다툼을 볼 때마다 '머리 깎은 중들이 속세 사람들보다 더 욕심이 많다'고 손가락질한다. 진정 부끄러운 일이다. 겸허히 반성해야 한다고 생각한다. 그러나 승가는 기본적으로 속가와는 룰과 방향이 다르다. 승려 사회의 룰과 방향은 깨달음이다. 부처가 되고 싶다는 것이다. 그리하여 순간순간 모든 중생을 잠에서 깨워 대자대비심으로 중생을 도우며 살겠다고 서원한다.

나는 출가를 했지만, 어떤 의미에선 더 큰 가족의 일원이 되었다고 생각한다. 그러나 이 가족은 근본적으로 내가 태어난 가족과는 다르다.

앞에서도 이야기했듯 본래 나는 형제 자매가 많은 집안에서 태어났다. 이제 내 형제 자매들은 결혼해 아이들을 낳아, 내게도 조카들이 많이 생겼다. 우리 가족은 점점 대가족이 되었다. 그러나 여전히 우리 마음속엔 '우리만의 사람들'이라는 의식이 있다. 가족은 점점 더 커졌지만 여전히 다른 가족, 다른 사람들과는 분리된 것이다.

물론 승가 안에서도 모든 일원이 한마음인 것은 아니다. 같은 혈통의 한가족 안에서도 나와 친한 가족이 있는가 하면 그렇지 않은 가족도 있고, 폭넓고 자유로운 상상력을 가진 가족이 있는가 하면 아주 보수적인 생각을 하는 가족도 있고 하듯 말이다.

그러나 승가는 근본적으로 다른 게 하나 있다. 스님이 된 사람들의 삶의 목적은 본성을 찾아 다른 사람들을 돕는 것이다. 그러기 때문에 우리는 서로 더 마음을 열고 도와주고 격려한다.

내 미국 가족들은 각자 구성원이 우선 자기 삶, 자기 가족의 삶을 위해 산다. 나는 때때로 부모님, 형제 자매들로부터 전화나 편지를 받는데 그들과의 대화란 늘 똑같은 걱정, 똑같은 관심사에서 맴돌 뿐이다.

그러나 승려 가족들은 '자기'를 넘어서 자기와 남이 하나되는 삶을 살려고 한다. 180도 방향이 다른 것이다.

부처님께서는 "우리가 부모에게 갚아야 할 빚이 얼마나 많으냐. 평생 동안 한쪽 어깨에는 어머니를, 다른 한쪽 어깨에는 아버지를 짊어지고 다녀야 한다. 그러나 그것은 아주 좁은 의미의 보은이다."
라고 말씀하셨다. 가슴에 닿는 말이다.

비록 크리스마스 같은 큰 명절이나 부모님 생신에 참석을 못한다
하더라도 나는 수행을 통해 다른 사람들을 도우며 삶으로써 부모님
의 은혜를 갚고 있다고 생각한다.

많은 한국 사람들은 나에게 이렇게 묻는다.

"어떻게 가족을 버리고 출가를 했습니까?"

그러나 나는 가족을 버린 게 아니다. 나는 더 큰 가족의 일원이
된 것뿐이다.

나의 도반들

우리 국제선원 승가 안에는 재미있는 스님들이 많다. 전세계에서 오신 분들이고 대부분 자유로운 서양에서 나고 자라 속세 경험도 다양하다. 그 지난한 삶의 역경 속에서 진리의 길, 도의 길을 찾아 떠난 그들의 삶은 극적이고 감동적이다. 어떤 때는 솔직히 피를 섞은 나의 가족들보다 더 깊은 정을 느낄 때가 있다.

그리고 또 한 분의 부모님.

숭산 큰스님은 나의 또 다른 부모님이시다. 부모님은 내 몸을 주셨지만 큰스님은 내 정신을 주신 분이다. 아니, 이미 내 안에 있는 보물을 찾게 해주신 분이다. 그의 가르침, 그리고 말과 행동이 일치하는 삶, 그의 대자대비심은 내가 여태껏 받았던 어느 사랑보다 값진 것이다.

내가 큰스님께 드리는 존경과 사랑은 신격화나 미화가 아니다. 그의 고단했던 삶과 그 고통 속에서 행했던 무서운 수행정진, 그리고 그 속에서 피워올린 위대한 깨달음, 그리하여 살아 있는 언어로 쏟아져 나오는 지혜…….

나는 숭산 큰스님 때문에 수행을 시작했고 비로소 내 삶의 나침반을 가진 것이다. 만약 큰스님을 만나지 못했다면 이 고통의 세상에서 나는 더이상 살고 싶은 생각이 없었을 것이다. 큰스님은 나를 비롯한 모든 수행자들을 하루하루 깨어 있도록 만드는 위대한 수행자이시다.

1993년 어느 날, 뉴욕에서 내 동생 그랙에게 숭산 큰스님에 관한 다큐멘터리를 보여준 적이 있었다. 첫장면에서 모든 승려들이 큰스님께 삼배를 올리는 모습이 나왔다. 그랙은 다짜고짜 나에게 "아니 어떻게 나와 똑같은 사람에게 저렇게 몸을 숙여 절을 할 수 있느냐"고 따졌다. 나는 그저 미소만 지었다.

그런데 그랙은 다큐멘터리 내내 숭산스님 법문을 다 듣더니 "이제서야 삼배를 올리는 심정을 알겠다"고 말해 나를 흐뭇하게 한 적이 있다.

나는 한쪽 어깨에 숭산 큰스님을 또 다른 어깨에 내 부모님을 짊어진 심정으로 살아가고 있다.

이제 나의 아름다운 형제들을 소개하겠다.

무상스님

그는 나의 도반들 중 내가 최고로 존경하는 스님이다. 그는 진정 살아 있는 보살이다. 우리는 자라온 환경도 비슷하고 걸어온 길이 비슷해서 서로 만나자마자 친한 친구가 되었다.

무상스님은 1964년 하버드 대학을 졸업했다. 그의 전공은 고대 문학으로 그리스 철학은 물론 러시아 문학까지 두루 섭렵했다. 그는 내가 여태껏 살아오면서 만난 사람들 중 가장 머리가 좋은 사람이다. 러시아어는 물론 불어, 라틴어, 고대 그리스어, 독일어에다가 한국어까지 한다. 그는 걸핏하면 고대 시나 소설에서 재미있는 부분을 인용, 우리 모두를 즐겁게 한다. 쇼펜하우어, 플라톤, 아리스토텔레스의 저작은 물론 고대 희랍 비극, 셰익스피어의 시와 소설 등이 모두 그의 머릿속에 저장되어 있다.

무상스님은 미국의 상류층 가정에서 태어났는데 하버드를 졸업한 후에는 흑인 인권운동을 했던 특이한 경력의 소유자다. 대학을 졸업하자마자 미국의 남부인 앨러배마와 미시시피로 내려가 흑인 인권운동을 했다. 그 당시 이슈는 흑인들에게 투표권을 주자는 것이었다. 이 일은 아주 위험한 일이었다. 당시 그 운동에 뛰어들었던 젊은이들 몇몇은 백인 지상주의자들에게 살해를 당하기도 했다. 무상스님은 그때 그곳에 계셨다. 독자들 중에도 〈미시시피 버닝〉이라는 미국 영화를 보신 분이 있을 텐데, 이 영화가 바로 당시 이야기를 재연한 것이다.

무상스님은 1년 동안 흑인 인권운동에 헌신한 뒤 예일 대학 법대 대학원(law school)에 입학했다. 약자를 보호하고 돕기 위한 가장 효율적인 방법이 우선 법을 공부하는 일이라고 생각했기 때문이다. 스님이 예일 대학원 2학년이었을 때 지금 미국 대통령 부부인 클린턴과 힐러리가 1년 후배로 학교를 같이 다녔다고 한다. 최근에 나는 무상스님에게 요즘 클린턴 대통령이 왜 그렇게 많은 문제로 속을 끓이고 있는지 물은 적이 있었는데 그의 대답이 걸작이었다.

"예일 대학원에 있을 때 클린턴은 한번도 나에게 조언을 구한 적이 없었거든."(하하하.)

무상스님은 정말 재치가 있으면서도 지혜가 많은 분이다. 그의 머리는 고성능 컴퓨터 그 자체다. 한번 들은 것은 잊어버리는 적이 없는 탁월한 기억력의 소유자인 데다 숫자에 관해서도 거의 무불통지(無不通知)다. 우리는 그를 '걸어다니는 계산기'라고 부른다.

나는 그와 함께 한국, 홍콩, 중국, 폴란드 등 수많은 나라를 여행했다. 여행할 때 제일 골치 아픈 게 돈 계산이다. 환율이 나라마다 다르니까 말이다. 그런데 무상스님은 환율 계산하는 데 거의 천재적이었다. 우리는 무상스님에게 우리가 바꾸고 싶은 달러 액수만 얘기하면 그는 1, 2분 안에 그나라 돈으로 계산을 해낸다. 그것도 그날그날 바뀌는 시세를 고려해서 말이다. 놀라 자빠질 때가 한두 번이 아니었다. 정말 계산기처럼 완벽한 실력이었다. 어렸을 때부터 천재 소리깨나 듣고 자란 나도 '뭐든지 못하는 게 없다'고 자부하지만 계산만큼은 자신이 없다.

나는 무상스님의 암산실력이 하도 신기해서 장난기를 발동해 몇 번이나 그를 테스트한 적이 있다. 그는 그때마다 순식간에 계산을 해냈고 한번도 틀린 적이 없었다. 그는 정말 걸어다니는 컴퓨터다.

그러나 무엇보다 중요한 것은 그의 '머리'가 아니라 '마음'이리라. 그의 삶은 오직 진리를 향한 끝없는 구도의 길이었다.

예일 대학 법대를 졸업한 후 그는 철학 공부를 계속하고 싶어했다. 왜냐하면 법을 공부하면서 오히려 더욱 큰 의문에 사로잡혔기 때문이었다. 법대에 들어가기 전에는 법이야말로 정의와 평화를 위해 사회에 기여할 수 있는 유력한 무기라 확신했었다고 한다. 그러나 막상 대학에 들어가 공부를 해보니 법이란 것이 약자를 보호하는 게 아니라 오히려 통제하는 강력한 방편에 불과했고 명예나 돈벌이 같은 개인적 욕망을 채워주기 위한 수단에 불과하다는 것을 느꼈다. 법을 공부하는 것이 정의나 진리의 삶과는 거리가 먼, 힘과 엘리트주의를 구현하는 삶에 다름 아닌 것이 아닐까 하는 의문을 가져다주었다. 그는 삶과 진리와 정의의 대해 수많은 교수님들, 지식인들을 쫓아다니며 물었지만 어느 누구로부터도 만족할 만한 대답을 들을 수가 없었다고 했다.

그러다 마침내 1975년 예일 대학으로 법문을 하러 오신 숭산 큰스님을 만난 것이었다. 그때 강의실에는 내로라 하는 지식인들과 교수님들이 모여들었다고 한다. 그 해는 큰스님이 미국 포교를 시작한지 3년째 되던 해였는데 이미 미국에서 차츰 명성이 높아지기 시작하던 때였다.

그 자리에 모인 교수님과 학생들은 삶과 죽음에 대한 본질적인 의문들을 던졌다. 숭산스님은 아주 쉽고 생생한 언어로 대답을 했고, 게다가 아주 유머러스하기까지 하셨다. 무상스님은 그때 큰 충격과 감동을 받았다고 하셨다.

그는 그때 일을 떠올릴 때면 항상 이렇게 얘기하곤 한다.

"큰스님 법문을 들은 그날 밤, 나는 마치 소크라테스가 환생한 게 아닌가 하는 착각에 빠졌다. 큰스님의 가르침 방식은 완전히 소크라테스식이었다. 큰스님의 언어는 책에 있는 죽은 언어가 아니라 살아 숨쉬는 지혜의 언어였다. 나는 너무 감동을 받았다. 그때까지 살아오면서 결코 그 누구에게도 그런 가르침을 들어본 적이 없었다. 누구도 나에게 그런 답은 주지 않았다."

그 다음날로 그는 숭산스님의 제자가 될 것을 결심했다. 무상스님의 부모는 미국에서도 손꼽히는 백만장자다. 그러나 그는 하버드, 예일이라는 인생의 성공을 보장해줄 수 있는 보증서들을 모두 팽개치고 스님이 되었던 것이다.

대봉스님

대봉스님은 현재 계룡산 국제선원장이시다.

대봉스님을 처음 만나면 모르는 사람도 이내 그의 친절하고 부드러운 미소에 행복감을 느끼게 된다. 그 곁에 서면 누구라도 천사가 안 되고는 못 배길 정도다. 스님은 원래 '도문'이라는 법명을 받으셨는데 지난 여름 숭산 큰스님으로부터 법을 전해 받아 새로운 법명을 받으셨다. 우리는 그를 이제 대봉스님이라 부른다.

대봉스님은 유태인으로, 미국 펜실베이니아의 유태인 가정에서 태어났다. 그 역시 미국의 명문 대학을 졸업했다.

그는 베트남 전쟁세대다.

국방성 앞에서 반전 데모를 하기 위해 세 번이나 친구들과 비행기를 타고 워싱턴으로 날아가 시위를 했다. 그 세 번의 시위는 모두 미국 역사에 기록될 만한 규모였는데 매번 약 50여만 명이 참가하는 대집회였다. 두번째 집회까지는 시위대들의 마음이 하나로 뭉쳐져 아주 평화적으로 진행됐었다고 한다. 그런데 세번째 시위 때는 시위를 주도한 지도부끼리 의견이 갈라져 시위 전략과 방법을 놓고 격론이 벌어졌다. 서로 싸우고 헐뜯고 도대체 이 사람들이 누구와 싸우기 위해 모였는지 한심하다는 생각까지 들 정도였다. 그 지도부

중 한 명이었던 대봉스님은 내심 큰 충격을 받았다. 평화를 위한다고 했지만 혹 우리들 마음엔 또 다른 욕심이 자리했던 것은 아닐까. 평화와 종전(終戰)을 외치는 우리가 이처럼 분쟁과 전쟁을 계속하다니…… . 극도의 좌절과 환멸이 그를 짓눌렀다.

당시 그는 반전운동을 하는 평화단체에 속해 있었는데 그런 일을 겪고 난 뒤 그 단체에서 나왔다. 그리고 좀더 개인적으로 다른 사람들을 도와주는 일을 모색하기 시작했다.

그렇게 찾은 일이 정신병원 상담사.

대학에서 심리학을 전공하고 있었던 그는 일단 자신의 전공을 통해 사람들에게 도움이 되는 일을 시작한 것이다. 그는 낮에는 학교에서 공부하고 밤에는 정신병원으로 출근했다. 그런데 바로 이 경험이 그의 인생을 뒤흔들 큰 의문을 가져다주었다. 정신병원에서 그는 수많은 정신 질환자들을 만났다. 그들은 자기 몸을 물어뜯는 자해를 하고 밤이고 낮이고 소리를 질러댔다.

의사들은 그런 환자들을 동물 다루듯 했다. 그는 소위 배웠다는 똑똑한 의사들이 아무리 미친 사람이라도 그렇지 하찮은 벌레 다루듯 하는 것을 보고 큰 충격을 받았다. 오히려 의사보다는 덜 배우고 지위도 낮은 간호사들이 환자들을 성심성의껏 대했다.

대학 다닐 때의 반전 데모와 정신병원에서의 경험을 통해 그는 삶에 큰 의문을 갖게 된다. 돈을 벌고 명예를 얻는 일이 어쩌면 나만의 이기적인 삶을 위한 선택은 아닌지, 어떻게 살아가야 하는가에 대한 근본적 의문에 부딪혔다.

그는 소위 자신의 먹물 근성을 빼고 싶어 공장에 취업했다. 그런데 어떻게 일자리를 알아보다 보니 하필 핵 잠수함을 만드는 공장에

취업하게 된다. 그곳의 노동자들은 지금껏 자기가 만났던 소위 먹물들보다 덜 배운 사람들인데도 훨씬 착하고 인간적이었다. 남들에 대한 배려도 잊지 않았다. 하지만 무기 만드는 곳에서 일하고 있다는 자책감은 그를 자유롭게 하지 못했다.

뉴헤이븐에 있는 큰스님 젠센터에서 수행하는 공장 동료와 친하게 지내던 그는 동료로부터 큰스님의 가르침에 대해 듣게 된다. 그리고 '내가 여태껏 찾아왔던 진리가 바로 여기에 있다'는 생각으로 큰스님의 제자가 된다.

유태교는 종교적 뿌리가 깊다. 초등학교 교사인 어머니와 의사인 아버지는 불교 수행을 하는 장남인 그를 탐탁지 않아하셨다. 그렇지 않아도 대학을 나와 공장에 취직한 아들 때문에 늘 걱정이었는데, 이제는 일까지 그만두고 아예 젠센터에 눌러앉아 사는 그가 못마땅하게 여겨지신 것이다. 그와 부모님 사이의 불화는 계속되었다.

그러던 어느 날 큰스님이 필라델피아로 법문을 하러 가는 길에 동행을 하게 되었다. 그때 큰스님은 필라델피아가 대봉스님의 고향인 것을 알아차리고 법문이 끝난 뒤 '집에 가서 부모님께 함께 인사를 드리자'고 제안하셨다. 내키지 않았지만 스님은 집에 연락을 했다. 스님의 연락을 받은 부모님은 조부모님을 비롯하여 친척이란 친척을 다 불러모았다. 큰스님을 상대로 종교 논쟁을 벌이겠다는 심산이셨다고 한다.

이윽고 저녁식사를 마치고 조부모님들이 먼저 포문을 열었다. 유태교와 불교 사이에 한바탕 격전이 치러진 것이었다. 장시간의 토론을 마치고 조부모님들과 부모님들은 대봉스님께 이렇게 말씀하셨다고 한다.

"숭산스님이 가시는 길과 우리가 가는 길이 다르지 않은 것 같으니 너의 수행을 허락한다."

대봉스님은 뛸 듯이 기뻤고 그후 더욱더 수행에 정진할 수 있었다고 한다. 그리고 마침내 1984년 출가를 하게 된 대봉스님은 요즘 큰스님과 함께 전세계를 돌아다니며 강연을 하신다.

대봉스님은 숭산 큰스님이 계룡산에 짓는 국제선원의 총감독관이라 현재 계룡산 공사장의 조립주택에 살고 계신다. 대봉스님은 자신의 온 열정과 에너지를 계룡산 국제선원 공사에 쏟아붓고 계신다.

계룡산 국제선원은 아주 역사적인 곳이 될 것이다. 이제 비로소 한국 불교를 배우고 한국 전통에 따라 참선수행을 하고 싶어하는 서양인들의 공간이 한국땅에 생기는 것이다. 물론 서양인들의 것만은 아니다. 한국 사람들도 누구든지 참여할 수 있다.

큰스님은 계룡산 국제선원이 완공되면 참선수행하고 싶어하는 사람이면 누구에게나 문호를 개방해 가르침을 전하실 예정이다. 많은 외국인들이 한국에 와서 수행하고 싶어도 장소가 여의치 않아 뜻을 이루지 못했다. 요즘엔 한국 동안거에 참여하려면 1, 2년씩 기다리는 게 보통이다. 그런데 계룡산 국제선원이 완공되면 수행하고 싶은 사람은 누구나 와서 할 수 있는 것이다. 지금 전세계에 위치한 숭산 큰스님의 젠센터에서 수행하는 세계인들은 계룡산 국제선원의 완공을 손꼽아 기다리고 있다.

무량스님

무량스님은 내가 평생 동안 만났던 사람 중에서 몇 안 되는 아주 인상적인 분이시다. 나는 그가 큰스님 다음으로 '할 수 있다'는 의지가 강한 분이라고 생각한다.

미네소타주 미니애폴리스의 아주 부유한 집안에서 태어난 그는 잘생기고 머리도 좋아 부족할 것이 없는 사람이었다. 단 한 가지 그를 덮친 불행이 있었다면 어렸을 때 어머니가 병으로 일찍 돌아가셨다는 것이었다. 모든 사람들이 다 그렇겠지만 어머니의 죽음은 그에게 너무도 큰 충격이었다. 그 일은 생각이 깊었던 그에게 삶과 죽음에 대한 근원적 의문을 가져다준 사건이었다.

그의 얼굴은 흡사 조각처럼 아름답다. 특히 그의 크고 푸른 눈은 정말 '예술'이다. 그 푸르고 맑고 깊은 눈을 바라보고 있으면 깊은 바닷속을 유영하는 것 같은 느낌이 들 정도다. 젠센터에 오는 사람들은 무량스님의 맑은 눈만 보고도 '수행을 하면 저런 눈을 가질 수 있는 것이냐'며 감탄한다. 스님의 맑은 눈은 그 어떤 백마디의 가르침보다 확실한 것이다.

무량스님은 미국에서 가장 좋은 사립 고등학교를 졸업한 뒤 예일 대학에 입학해 지리학을 공부했다. 삶과 죽음에 대한 근본적인 의문을 갖고 있었던 그는 이 우주에 대해서 탐구해보고 싶었던 것이다. 지리학은 이과적인 상상력과 문과적인 상상력을 둘 다 필요로 하는 학문이다.

그는 학과 공부 이외에도 요가수행에 심취했다. 그는 나에게 "만약 스님이 안 되었더라면 히말라야에서 요가수행을 하는 요기가 됐을 것"이라고 말하기도 했다.

무량스님은 1978년 예일 대학에 강연을 왔던 숭산 큰스님을 만난 뒤 큰스님의 제자가 될 것을 결심하고 인근 뉴헤이븐 젠센터에서 참선수행을 시작했다. 1980년 대학을 졸업하면서 변호사로 성공한 아버지가 자신의 뒤를 이을 것을 바랐지만 큰스님을 따라 한국으로 와 버렸다. 그리고 1983년 출가를 했다.

무량스님은 서울 화계사에 국제선원을 만든 창립 멤버라고 할 수 있다. 그는 1984년 화계사에 최초로 국제선원을 만든 뒤 5년 동안 한국에서 살았다. 그동안 연세어학당에서 한국말 공부도 열심히 하셔서 한국말도 아주 유창하다.

무량스님은 한국에서 첫번째로 유명해진 외국인 스님이기도 하다. 88올림픽을 취재하러 왔던 미국 방송국 기자들이 당시 미국에서 유명해지기 시작한 큰스님에 대한 다큐멘터리를 만들었는데 무량스님이 처음부터 끝까지 이를 도왔다. 최초로 한국 불교를 미국에 알리는 선봉장 역할을 하신 것이다.

무량스님은 또 수행을 아주 열심히 하시는 분이다. 한국에서 큰스님의 비서로 있을 때 큰스님이 해외 강연으로 국내를 비우시면 지체없이 암자로 들어가 홀로 수행하셨다. 수덕사 인근의 한 암자에서 1년 동안 혼자서 수행을 하시기도 했고 미국으로 가기 전 1년 동안은 남한 땅 전체를 도보로 여행하기도 했다.

무량스님이 미국으로 건너가 LA에 있는 큰스님의 절인 달마 젠센터(Dharma Zen Center)의 주지로 있던 시절의 이야기다. 미국 몇몇 주에서는 운전자 마음대로 자동차 번호판에 문자를 새길 수 있는데 스님은 자동차 번호판에 'Y ALIVE'("Why Alive?" 즉 Why do you live? For what?)를 쓰고 다니셨다. 즉 왜 사는가, 무엇을 위해 사는가 하는 화두를 자동차 번호판에 새기고 다닌 것이다.

그가 주지로 있었던 달마 젠센터는 아주 낡은 건물이다. 시도 때도 없이 여기저기 고칠 곳이 한두 군데가 아니었다. 전기가 나가기 일쑤고 겨울이면 파이프가 터지고 바람이 불면 창문이 부서져 나가고 화장실 변기도 자주 막혔다.

부잣집에서 곱게 자란 그는 심하게 말해서 망치 다루는 법도 제대로 몰랐다. 그러다 보니 일이 생길 때마다 수리공을 부를 수밖에 없었다. 그러기를 얼마나 지났을까. 무량스님은 자신의 행동이 옳지 않다고 느끼셨다. '사찰'은 돈을 쓰는 곳이어서는 안 된다는 생각을 한 것이다. 신도들의 보시(사실, 미국 절은 한국처럼 보시가 아니라 젠센터에 같이 사는 신도들의 생활비로 운영되지만, 어쨌든……)를 이렇게 함부로 써서는 안 된다는 자각이었다.

무량스님은 그 길로 도서관에 가서 공부를 하기 시작했다. 집안 수리를 혼자 하는 법을 알려주는 책들을 빌려 읽기 시작했다. 마침내 그는 모든 일을 혼자 할 수 있게 되었다. 창문도 고치고 타일도 붙이고 시계도 고치고 끊어진 파이프도 잇고 화장실 변기도 뚫고 벽지도 바르고…….

달마 젠센터는 그의 힘과 노력으로 완전히 새집이 되었다. 정말 대단한 일이었다. 그는 덕분에 건축 분야에 전문가가 되어 이제 캘리포니아에 절을 혼자서 짓고 계시다.

무량스님의 또 하나 위대한 점은 쉼없이 노동하신다는 것이다. 달마 젠센터 주지 때는 승복도 벗어 던지고 더러운 작업복 차림으로 온몸에 먼지를 뒤집어쓰고 돌아다니는 모습을 자주 보았다. 주지 정도면 얼마든지 편하게 생활할 수도 있었는데 그는 한번도 '나는 주지이다'라고 내세운 적이 없이 말없이 혼자서 모든 일을 하셨다. 그 모든 것이 수행이라고 생각했기 때문이다.

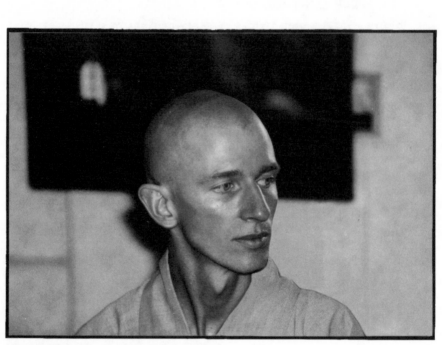

캘리포니아에 전통적인 한국 사찰을 손수 짓고 있는 무량스님.
무량스님은 불교만을 포교하는 것이 아니라 한국 전통을 미국에 널리 알리는 데 주력하고 있다

LA 주정부에서는 한동안 극심한 가뭄으로 물의 사용량을 제한한 적이 있었는데 스님은 아예 정원을 다시 꾸며 선인장 정원으로 만들어버렸다.

무량스님은 또 무소유의 삶을 실천하는 분이시다.

그는 한번도 새 승복을 입어본 적이 없다. 항상 낡고 여기저기 기운 승복을 입었다.

나는 때로 승복 선물을 받을 때가 있다. 내가 얼마나 한복을 좋아하는지 여러분은 모를 것이다. 아름다운 승복을 받을 때마다 나는 너무 고맙고 감사한 마음에 어쩔 줄을 모르겠다.

하지만 사실, 이건 참 부담스러운 일이다. 더군다나 무량스님을 생각하면 새 승복을 입는다는 일이 얼마나 죄스럽고 부끄러운지.

처음에 한국 생활을 시작하면서 새 승복을 받을 때는 한사코 거절했다. 그런데 자꾸 거절하다 보니 선물하시는 분들이 언짢아하셨다. 또 낡은 옷만 입고 다니니까 거의 강제로 옷가게에 가서 옷을 사 입히시곤 하셨다. 나는 그분들 마음을 너무도 잘 안다. 눈물날 정도로 고맙다. 하지만 무량스님을 생각하면 그 새옷들을 도저히 입을 수 없어 그저 사과 상자에 넣어놓고 있었다.

어느 날 나에게 승복을 선물하신 분께서 참고 참았다는 듯 이렇게 물어오셨다.

"아니, 스님. 제가 사드린 옷, 왜 안 입으시는 거예요?"

섭섭한 듯한 그의 표정에 나는 너무 미안했다. 생각 끝에 나는 상자 속에 넣어두었던 승복을 꺼내 몇 번이고 빨았다. 헌 승복으로 만들기 위해서다. 그렇게라도 하지 않으면 무량스님을 본받을 수 없다고 느꼈기 때문이었다. 그 뒤부터 나는 새옷을 선물 받으면 항상 몇 번이고 빨아 좀 헌것으로 만든 다음 입었다. 옷을 선물하시는 분들께는 정말 죄송한 일이지만 나는 무량스님의 훌륭한 삶을 따라 배우고 싶다.

그에게는 꿈이 하나 있다. 그리고 그 꿈은 이제 서서히 무르익고 있다. 그 꿈은 다름 아닌 미국의 아름다운 산에 완전히 한국적인 전통 사찰을 세우는 것이다. 이미 몇 년 전 큰스님의 풍수 조언에 따라 캘리포니아에 땅을 사서 한국 사찰을 세우는 일에 착수하셨다.

스님이 캘리포니아 땅을 산 얘기도 거의 신화에 가깝다. 스님은 미군들이 쓰는 지도를 사서 샅샅이 훑은 뒤 좋은 곳이다 싶으면 어김없이 현장 답사를 갔다. 그리고 큰스님께 풍수를 여쭌 뒤 마침내 마음에 드는 땅을 고른 것이다.

그는 큰스님과 중국·인도·대만·홍콩의 절을 다니면서 큰스님으로부터 풍수를 배웠다. 한국에 있으면서는 전국의 사찰을 다 도보로 다니며 익혔기 때문에 그 분야에 관한 한 전문가다. 풍수란 땅과 하늘과 물과 바람 에너지의 조화다. 어떤 땅은 양(+)의 에너지가 강한 데 비해 어떤 땅은 음(−)의 에너지가 강하다. 무량스님은 특히 사찰은 풍수가 중요하다며 명당 자리에서 수행을 해야 우주의 맑은 기운과 하나될 수 있다고 하신다.

일례로 애리조나주 세도나 같은 곳도 미국에서 알아주는 명당 자리인데 그곳에는 이미 수많은 명상 단체들이 자리잡고 있어 관광지 역할도 톡톡히 한다.

무려 4년 동안이나 찾아다녔건만 마음에 드는 명당 자리가 안 나타나 무량스님이 수심에 잠겨 있을 때 큰스님이 '하루에 네 번씩 기도를 하라'고 하셨다. 무량스님은 그로부터 하루도 빠지지 않고 그

바쁜 생활 속에서도 열심히 기도를 했다. 그런데 그렇게 1년여가 다 될 무렵 바로 그 캘리포니아의 땅이 나타난 것이다.

바로 그가 찾던 땅이었다. 그곳은 LA에서 북쪽으로 차를 두 시간쯤 달리면 닿는 거리인데 미국에서 아주 유명한 산맥인 시에라네바다 산맥이 이어져 있는 해발 1천 미터의 산이다. 산 아래는 오래된 카우보이 마을인데 지금도 그곳 사람들은 카우보이 모자를 쓰고 부츠를 신고 산다.

나는 1994년에 그곳을 처음 방문했는데 너무 아름다운 자연 풍광에 놀라 티벳에 온 것이 아닌가 착각했을 정도였다. 그곳은 아직 인간의 손길이 닿지 않은 천연의 땅이었다. 머리에 큰 뿔을 가진 야생 양떼와 매와 독수리, 퓨마, 살쾡이, 곰, 토끼, 노루 등등 동물들도 없는 게 없다. 방울뱀도 산다.

그 이듬해인가 나는 다시 그곳을 찾아 무량스님이 기거하는 곳에서 며칠 묵었다. 이튿날 새벽 어스름에 화장실을 갔다 나오는데 뭔가 나를 쏘아보는 눈길을 느끼고 고개를 돌렸더니 한 50미터쯤 뒤에서 퓨마 한 마리가 나를 보고 서 있는 것이 아닌가. 나는 완전히 발이 땅에 붙어 옴짝달싹 못했다. 다행히도 퓨마는 그대로 뒤돌아 달아났다. 그럴 정도로 그곳은 아직 태초의 신비가 가득한 천연의 땅이다.

큰스님은 그 땅을 보시더니 99퍼센트 다 좋은데, 절을 세울 땅 앞에 흐르는 강의 흐름이 산의 에너지를 분산시킨다는 것을 한 가지 지적하셨다. 무량스님은 그 말을 듣고는 강물이 마르는 여름까지 기다린 뒤 혼자 포크레인을 작동시켜 아예 물줄기를 바꿔버리셨다. 무려 2년 동안 그는 순전히 혼자서 강가에 자라고 있던 그 수많은 나무며 바위들을 그대로 옮기고 강물줄기를 다른 곳으로 틀어놓은 것이다. 그는 진짜 마음만 먹으면 무엇이든 할 수 있는 슈퍼맨이다.

내가 다시 그 산을 찾았을 때는 완전히 다른 산이 되어 있었다. 지금 그곳에는 한국의 전통적인 사찰이 착착 세워지고 있다. 이미 기와지붕을 얹고 온돌도 깐 요사채(스님들이 거주하는 곳)가 완성되었다. 이 모든 일을 혼자 하셨다니 거의 기적에 가깝다.

캘리포니아의 유명한 건축가들도 '못을 사용하지 않고 나무만으로 지어야 하며 지붕에 무거운 기와까지 얹어야 한다'는 무량스님의 주문에 도저히 못하겠다고 고개를 설레설레 흔들었다. 무량스님은 일단 캘리포니아가 지진이 많다는 점을 감안하여 겉모양은 한국식으로 하고 내부 철근이나 구조는 미국식을 따르기로 했다. 한국식 대중 목욕탕도 만들기로 했다.

남은 문제는 대웅전.

무량스님은 부처님을 모시는 법당인 대웅전만큼은 안팎 모두 완전히 한국식으로 짓겠다고 하신다. 미국에는 기술자들이 없어서 한국 기술자와 같이 일하고 싶은데 한국 사람들을 데려오려면 먹이고 재우고 하는 비용까지 만만치 않아 걱정이 이만저만한 게 아니다. 그나마 돈도 부자 아버지한테 사정사정해서 유산을 미리 달라고 거의 강탈하다시피(?) 받은 것인데 사찰을 짓기에는 역부족이다.

스님은 아예 한국에서 대웅전을 지어 다 분해한 후 공수를 하는 것이 싸다면 그 방법도 진지하게 고려중이시다.

그는 외아들이다. 그의 출가에 충격을 받으신 그의 아버지는 아예 그와 의절을 선언하셨다. 그러나 몇 년 뒤 아버지 역시 불교에 관심을 갖기 시작하면서 화해했다. 그는 아버지한테 "미국에 전통적인 한국절을 세우는 게 나의 꿈인데 내가 한 살이라도 더 젊어 힘이 남아 있을 때 일해야 한다"며 유산을 미리 달라고 조른 것이다. 그는 유산의 단 한푼도 자신을 위해 쓰지 않고 현재 한국절을 세우는 데 쓰고 있다.

지금 공사가 한창 벌어지고 있는 캘리포니아 산에 작은 간이 텐트를 세워 혼자 먹고 자고 하신다. 그러면서도 매일 아침, 저녁예불과 참선을 잊지 않고 낮에는 해가 떨어질 때까지 일을 하신다.

그는 또 완전히 환경친화적 건축방법을 쓴다. 산에서 쓸 모든 동력은 태양열과 풍력 등 자연력을 이용할 예정이다. 전기는 일체 사용하지 않는다. 스님은 이미 이를 위해 전시에나 사용 가능한 배터리들을 사 모아 지하에 묻어 태양열로 충전을 하면서 쓰고 계신다. 현재 공사중이기 때문에 아주 많은 에너지가 필요한데도 오로지 태양열만 이용하고 있다.

나는 프라비던스 젠센터 주지로 있을 때 나흘 동안 거기 가서 공사를 도운 적이 있었는데 한번도 전기 문제 때문에 곤란을 겪지 않았다. 정말 기적과 같은 일이었다.

스님은 이처럼 캘리포니아 사찰 내 모든 자원을 재활용해서 인간과 자연이 하나되는 수행처를 만들겠다는 포부를 갖고 있다.

그는 절 앞에 흐르는 강 위에 다리 하나를 지었다. 그 다리는 한국의 전통 사찰에서나 볼 수 있는 오래된 돌로 만든 아주 아름다운 다리이다.

요즘 캘리포니아에 사는 한국 이민자들이 알음알음으로 무량스님이 한국절을 세운다는 소식을 듣고 주말마다 가서 스님을 돕는다고 한다. 한국 사람들은 그곳에 가면 마치 고향에 와 있는 것 같다며 아주 좋아한다고 한다. 어떤 사람들은 눈물까지 흘린단다. 무량스님은 그들을 상대로 한국 문화를 가르치기까지 한다는데 상상해보라. 한국 사람들이 푸른 눈의 미국인 스님으로부터 한국 문화를 배우는 모습을.

스님은 이처럼 단지 불교만을 포교하는 것이 아니라 한국 전통을 미국에 널리 알리는 위대한 분이다. 한없이 겸손하면서도 우스갯소리를 잘해 웃음이 끊이지 않는 무량스님. 만약 내가 지금 한국에 살지 않는다면 내일이라도 당장 캘리포니아로 달려가 그의 일을 도우며 살 것이다.

무심스님

다음으로 소개할 분은 현재 화계사 국제선원에 가장 오래 머물고 있는 미국인 스님인 무심스님이다. 그는 현재 숭산 큰스님을 가장 가까이에서 모시고 있는 스님이다. 큰스님과 함께 전세계를 돌아다니며 강연을 하고 큰스님의 모든 일정을 짠다.

앞서 소개했던 대봉스님처럼 무심스님도 필라델피아의 유태교 가정에서 태어났다. 아버지는 대학 교수이고 동생은 미국에서 유명한 해양 생물학자다. 그 역시 1981년 미국의 명문 보스턴 대학을 졸업하고 케임브리지 젠센터에서 수행을 시작했다. 그리고 1984년에 출가했다.

국제선원 스님들 중에는 비록 큰스님의 가르침에 따라 출가를 하긴 했지만 한국과 별로 인연이 없어서 음식이나 생활방식이 잘 안 맞아 생활하는 데 고생하는 분들도 있다.

그런데 무심스님은 나만큼이나 전생에 한국과 인연이 깊어서인지 정말로 한국 사람 이상으로 한국말도 잘하고 한국 음식도 무엇이든 잘 드신다. 속담도 모르는 게 없다.

무심스님은 숭산 큰스님 제자들로서는 처음으로 한국 조계종에서 비구계를 받으셨다. 이것은 외국인 스님으로서는 처음으로 한국 조계종이라는 큰 우산 아래 들어간 일이어서 매우 뜻깊은 일이다. 그 전까지는 대부분 미국 관음선종에서 비구계를 받았는데, 무심스님 이후로 대성스님, 청안스님 그리고 나까지 모두 한국 조계종에서 비구계를 받았다.

무심스님은 출가한 직후 한국에 와서 지금까지 살고 있다. 화계사 국제선원이 만들어지면서 총무일도 맡고 수덕사, 신원사, 화계사 등에서 안거수행도 많이 했다.

그는 영어와 한국어를 다 잘하기 때문에 숭산스님의 모든 사무적 일정을 헌신적으로 맡아 보고 있다. 무심스님은 아주 세심하고 꼼꼼하기 때문에 무려 15년 동안이나 큰스님을 옆에서 모시고 있다. 그의 성실성과 치밀함은 정말 대단하고 컴퓨터에도 굉장히 능하다.

화계사 국제선원에서도 지도법사이기 때문에 눈코 뜰 새 없이 바쁘다. 정말 한시도 제대로 쉬는 것을 본 적이 없다. 큰스님이 몇 차례 병원 신세를 지셔야 했는데 그때마다 무심스님은 24시간 큰스님 곁에서 간호를 했다. 한번은 큰스님이 미국 병원에 입원해 있을 때 의사와 간호사들이 무심스님의 정성에 탄복하여 큰스님께 '누구냐'고 여쭌 적이 있다고 한다. 그때 큰스님은 선뜻 '내 아들이다'라고 대답하셔서 모두들 눈이 휘둥그레졌다고 한다.

명행스님

명행스님은 미국의 명문 코넬 대학교에서 그리스와 라틴 등 고전
문학을 공부한 수재다. 그는 고대 그리스어와 라틴어를 아직도 자유
롭게 쓰고 읽고 말할 줄 안다.

그는 천재에 가까운 암기력을 갖고 있으며 꼼꼼한 성격에다 두터
운 신심을 갖고 있다. 만약 그가 출가를 하지 않았더라면 그는 고전
문학을 가르치는 훌륭한 교수가 되었을 것이다. 그리고 아주 잘생겼
으므로 결혼도 해서 아름다운 아내와 아이들을 가졌을 것이다.

그가 고전문학에 심취한 이유는 진리에 대한 관심 때문이었다.
어릴 때부터 '무엇이 진리냐' '삶의 의미는 무엇이냐'는 의문을 갖
고 있었던 그는 수많은 그리스, 라틴 고전들에 빠져들었다. 그것도
옛날 고어로 된 책들을 많이 읽었다. 그러면서 자연스럽게 동양 철
학에도 관심을 가지게 됐다.

대학을 졸업한 후 그는 동양을 여행하기로 하고 우연히 신문을
읽다가 한국에서 영어 선생님을 모집한다는 광고를 보고 그 즉시 지
원을 했다. 그는 4년 동안 한국에서 전라북도 전주와 충청남도 대
전, 공주 일원의 학원에서 영어를 가르쳤다.

그러고 보면 명행스님 역시 한국과 아주 인연이 깊은 사람이다.
그는 도시생활을 좋아하지 않아 주로 지방에서 살았는데 겨울에 우
연히 공주로 여행을 갔다가 당시 계룡산 신원사에서 동안거 수행을
하는 외국 스님들을 만나게 된 것이다.

신원사에서 그와 처음 대화를 나눈 스님이 바로 무심스님이다.
무심스님은 그에게 화계사 국제선원을 소개하며 꼭 한번 오라고 초

청했다. 그는 신원사에서 며칠 묵으면서 매일 아침 저녁으로 듣는 사찰의 종소리가 그렇게 친근할 수 없었다고 한다. 신원사 몇몇 외국인 스님들로부터 숭산 큰스님과 벽암 큰스님에 대한 이야기를 전해 들었다. 그리고 서울을 오가며 국제선원에서 수행을 하고 큰스님의 가르침을 듣고 출가를 한 것이다. 그는 출가하면서 그때까지 읽고 있었던 그리스, 라틴 책은 모두 쓰레기통에 버렸다고 한다. 그는 매일 1천 배 수행을 하는 스님이다. 매사에 진지하고 부드러워 주변 사람들로부터 존경을 받고 있다.

청안스님

나는 지금 유럽에 한국 불교를 포교할 스님 한 분을 소개하려 하는데 그는 다름 아닌 청안스님이다.

청안스님의 고국은 헝가리. 청안스님은 특히 자신의 고국 헝가리에 대한 애국심이 투철하며 고색창연한 헝가리 문화와 역사에 대해 큰 자긍심을 갖고 계신 분이다. 한국의 문화와 역사가 헝가리와 비슷하다고 생각해 한국을 아주 좋아한다. 두 나라 모두 오래되고 자랑스런 문화를 갖고 있으며 이웃 강대국으로부터 수차례 침략을 받았으나 조상들이 국가의 주권을 지키기 위해 헌신적으로 투쟁해왔다는 것이다.

심지어 헝가리 국민이나 한국 사람들이 매운 음식을 좋아하는 것도 그에게는 반가운 일이다. 유럽에서도 특이하게 헝가리 국민들만 매운 음식을 즐긴다고 한다. 어떤 음식은 유럽 사람들이 도저히 입에도 못 댈 정도로 맵다고 한다. 또한 두 나라는 언어의 구조와 형태까지 비슷하다고 한다.

청안스님은 이렇게 얘기한다.

"많은 언어학자들은 한국어와 헝가리어가 몇천 년 전에 동일한 언어의 뿌리에서 출발했을 것이라고 추정한다. 어떤 역사학자들은 헝가리인들이 본래 아시아 땅에서 살다 지금의 헝가리 땅으로 이주해 온 것이라고 주장한다. 사실 헝가리는 유럽 안에서도 가장 동양적인 사고방식과 문화를 가진 나라다."

그래서인지 청안스님은 한국말도 아주 유창하고 한국 음식도 잘 드신다.

그의 아버지는 국제적으로 존경받는 심장병 전문의다. 어머니 역시 의사다.

그는 자랄 때부터 영어, 연극, 스포츠에 만능 재주꾼이어서 부모님의 사랑을 독차지했다고 한다. 대학 다닐 때는 '실험연극' 분야에서 활발한 활동을 하기도 했다. 현재 미국과 유럽에서도 중요한 예술 장르의 하나로 인식되고 있는 실험연극은 대본을 사용하지 않고 배우들이 즉석에서 즉흥적인 연기를 하는 것이다. 그러다 보니 사전에 계획된 말보다는 마음과 마음으로 전달하는 과정이 중요하다. 당시 그 경험을 통해 청안스님은 순간에서 순간, 상황에서 상황, 말이 필요 없이 현실을 인식하는 선불교의 가르침에 관심을 갖게 된다.

그리하여 1990년 헝가리에 법문을 하러 온 숭산 큰스님을 만나게 된다. 부다페스트에 있는 대형 강의실은 큰스님의 법문을 들으러 온 사람들로 인산인해를 이뤘다고 한다. 당시 청안스님은 이미 헝가리의 일류 대학을 졸업하고 자신이 창업한 번역회사를 열심히 운영하고 있었다. 헝가리에 대한 소련의 영향력은 급속히 쇠퇴해 헝가리도 바야흐로 개방의 물결 한가운데에 있었기 때문에 미국과 유럽의 많은 회사들이 헝가리 시장을 놓고 경쟁적으로 자본 참여를 할 때였다. 그때 청안스님은 그 회사들의 일을 도와주면서 큰돈을 벌었다. 어떤 때는 그의 한 달 벌이가 아버지의 4개월 월급을 합친 것보다 많은 때도 있었다고 한다. 만약 그가 출가를 하지 않고 사업을 계속했더라면 지금쯤 세계에서 가장 아름다운 도시 중 하나인 부다페스트에서 성공한 사업가가 되어 있었을 것이다.

큰스님의 법문을 듣고 깊은 감명을 받은 그는 순전히 큰스님을 뵙기 위해 미국을 서너 차례 방문한다. 또 1993년 10월에는 3년마다 한 번씩 미국에서 전세계 큰스님의 제자들이 모이는 '세계일화' (Whole World is a Single Flower) 회의에 참석하기도 한다.

그리고 이듬해 여름, 미국 프라비던스 젠센터에서 3개월간 안거수행을 했다. 그리고 그후 깊은 고민에 빠졌다. 세상이 온통 고통으로 가득해 있는데 자기 혼자만 헝가리에서 돈을 벌면서 성공적인 삶을 살아나간다는 것이 견딜 수 없어졌기 때문이다. 그는 바로 출가를 했다.

부모님은 거의 혼절을 했다. 그는 외동아들이었다. 어렸을 때부터 총명하고 재능이 많았던 아들에게 부모님이 거는 기대는 남달랐다. 그래도 나는 형제가 여덟 명이나 되었기 때문에 출가하면서 부모님의 노후 걱정은 별로 없었다. 그러나 청안스님의 출가는 곧 부모님의 노후를 책임질 자식이 아무도 없어지는 것이다. 그러나 그는 그 마음속 깊은 고통 속에서도 출가를 하신 것이다. 그리고 지금은 아예 부모님 곁을 떠나 5년간이나 한국에 살고 있다. 그는 정말 부지런하고 성실한 수행자다. 자신이 그렇게 어려운 결정을 해서 출가를 했기 때문에 부모님에게 부끄럽지 않은 삶을 살기 위해서라도 열심히 살아야 한다고 말씀하신다. 청안스님은 화계사 국제선원의 총무 및 재무스님으로 온갖 궂은 일을 도맡아 하신다.

청안스님은 지난 여름 큰스님으로부터 법을 전해 받았고, 곧 고국인 헝가리로 돌아가 젠센터 주지를 맡을 예정이다. 그는 한국 불교를 유럽에 알리는 선구자가 되리라는 꿈에 부풀어 있다.

현문스님

현문스님의 삶은 정말 드라마틱하다. 그는 생과 사의 고비를 몇 번이나 넘긴 분이다. 그는 폴란드 스님이다.

화학·생물학·문학·역사학·음악 등 다방면에 해박한 지식을 갖고 있는 그를 우리는 또 '황금의 손을 가진 스님'이라고 부른다. 고장난 것은 뭐든지 그의 손에 닿기만 하면 완전히 다른 모습으로 변하기 때문이다.

그는 어렸을 때부터 피아노 연주에 천재적인 재능을 보여 장차 폴란드를 대표하는 위대한 피아니스트가 될 것이라는 기대를 한몸에 받고 자랐다.

현문스님은 지금도 피아노만 있으면 바흐, 헨델, 모차르트 곡을 악보 없이도 연주할 수 있다. 어렸을 때는 폴란드에서 훌륭하다는 음악 선생님들을 찾아다니며 작곡법과 지휘법을 배우기도 했다고 한다.

그러나 공산주의 체제는 자유로운 상상력을 가진 그를 새장 속 새처럼 가둬놓았다. 친구들과 친척들이 자기 생각을 솔직하게 얘기했다는 이유로 정부에 의해 쥐도 새도 모르게 끌려가 고문을 당했다. 자라면서 조국 폴란드에 대해 대단한 자긍심을 갖고 있었으나 점점 그런 일들을 접하면서 폴란드 정부가 외부 강대국인 소련의 꼭두각시 인형에 불과하다는 것을 깨닫게 된다.

그러면서 조국 폴란드를 위해 무엇을 할 수 있을까 생각하다 음악가의 길을 포기하고 과학자가 되기로 한다. 당 간부나 엘리트 당원을 위한 음악회에서 피아노를 연주하는 것보다는 화학이나 생물학을 공부하는 과학자가 되는 것이 조국에 더 유용하게 쓰여지리라 판단했기 때문이다.

그는 학창시절 종교적 신념과 관련된 큰 경험을 했다.

폴란드 국민들의 98퍼센트는 카톨릭이다. 폴란드에 가면 고풍스럽고 아름다운 성당 건물들을 많이 볼 수 있다.

중학생이 되자 현문스님은 또래 친구들과 함께 견진성사(영아세례 다음에 받는 칠품성사 중 하나로 주교가 성신의 은총을 주기 위하여 그 신자의 이마에 성유를 바르는 성사)를 받기 위한 교육에 참여한다. 추기경이나 주교로부터 은총을 받는 이 행사는 아주 중요한 행사였다. 그때 현문스님이 다니던 성당의 주교님은 폴란드에서도 가장 존경받는 카를 보티라 추기경이었다.

이분이 후에 교황 요한 바울 2세가 되신 바로 그분이다. 현문스님은 카를 보티라 추기경이 교황이 되기 1, 2년 전에 견진성사 의식에 참여한 것이다. 그러니 그 행사에 참여한 사람들은 얼마나 영광된 일이었겠는가.

수련 마지막 날, 추기경님은 학생들에게 그동안 가르침에 대해 질문이 있으면 하라고 했다.

현문스님이 번쩍 손을 들었다. 그는 당시 어린 나이였는데도 일찍 삶과 죽음의 근원적 의문에 휩싸였다. 세상의 많은 불공평에 대해서도 고민하고 있었다. 그런 그였기에 견진성사를 받기 전에 반드시 이 의문을 풀어야 한다고 생각했다.

현문스님이 입을 열었다.

"신부님, 하느님께서 우리를 똑같이 사랑하신다면 왜 장애인들을 만드셨을까요?"

신부님은 빙그레 웃으며 이렇게 대답하셨다.

"그건, 우리가 장애인들에게 동정하는 마음을 갖게 하고 우리가 나쁜 일을 하면 그렇게 태어날 수 있다는 것을 경고하시기 위함이지."

현문스님은 납득이 되지 않았다. 만약 그러한 신이라면 필요 없다고 생각했다. 그는 순간 성사를 받을 수 없다고 느꼈다. 그리하여 신부님 말씀이 채 끝나기가 무섭게 성당을 나와버렸다. 그리고 난 뒤 성당에는 아예 발길을 끊었다.

현문스님은 청년 시절 폴란드의 유명한 운동권이었다. 그는 고등학생 때 반정부 지하단체에 가입한 뒤 가열찬 투쟁정신(?)으로 운동권의 대표가 된다. 명석한 머리와 대담한 용기를 가진 그는 운동권의 스타였다. 시위를 주도하는 것은 물론 운동권의 이론을 제공하는 이론가였으며 화학물질 제조 기술도 갖고 있어 각종 시위용품을 만들기도 했다.

그는 당시 폴란드 반정부 운동의 신화였다. 많은 사람들로부터 존경을 받았다. 그러나 급기야 정부에 체포돼 말할 수 없는 고문을 당한다. 그리고는 석방돼서 다시 저항하다 또 붙잡혀 들어갔다. 석방과 구금을 반복했다. 그 당시 그는 완전히 쫓기는 신세가 되어 부모 형제들과도 만날 수가 없었다. 그래도 그의 반독재 반정부 투쟁 의지는 꺾이지 않았다.

마침내 그는 아주 커다란 조직을 만들려다 체포된다. 가족들과 친구들은 이제 살아서 그를 다시 만나지는 못하리라는 절망에 빠졌다. 당시 그가 도모한 일이 워낙 큰일이었기 때문에 정부는 그에게 참혹한 고문을 가할 것이고 고문의 고통과 후유증으로 감옥에서 죽어갈 것이 뻔하기 때문이었다. 당시 반정부 투쟁을 하다 잡힌 사람들은 십중팔구 그렇게 죽어갔다. 혹은 중노동을 하는 수용소로 옮겨져 과로로 숨지기도 했다.

그러나 그는 약간 달랐다. 워낙 반정부 운동의 상징적인 인물로 알려졌기 때문에 그가 잘못되면 성난 민중들이 어떻게 들고 일어날지 모르는 일이었다. 정부 역시 그를 함부로 하지 못했다. 그를 죽인다면 그의 명성과 활약상을 들어온 폴란드 국민들이 폭동이라도 일으킬 태세였기 때문이다. 그리하여 그는 고문은 면하게 되고 대신 악명 높은 교도소에 장기형을 받고 수감된다.

그가 감옥에 있을 때, 심리학을 전공하는 여교수가 어느 날 그를 만나러 왔다. 그녀는 폴란드 안에서 당성을 인정받고 있는 충실한 당원이었다. 당시 그녀는 현문스님을 비롯한 반정부 인사들의 심리를 연구하는 프로젝트를 맡아 연구중이었다. 정신적인 신념과 정치적 행위에 관한 연구였다고 한다.

인터뷰는 3일간 지속되었다. 인터뷰 마지막 날 그 교수는 현문스님에게 이렇게 물었다고 한다.

"당신은 신을 믿습니까?"

"아니오. 신은 존재하지 않습니다."

현문스님은 일말의 주저 없이 이렇게 대답했다.

그 교수가 다시 물었다.

"당신은 신의 존재를 믿습니까?"

"……만약 신이 계신다면, 그리하여 신께서 우리에게 자비로운 사랑을 베풀고 계시다면 어떻게 우리가 이처럼 고통에서 허우적댈 수 있습니까? 도대체 신이란 어떤 분이시길래 우리가 이처럼 감당할 수 없는 고통을 만들어내신다는 말입니까?"

그 교수는 충격을 받았다. 앞서도 얘기했지만 당시 폴란드 대다수 국민들은 카톨릭을 믿고 있었고 반정부 투쟁은 대부분 성당을 중심으로 이뤄졌다.

유물론 철학을 기반으로 하는 공산주의 간부들은 당연히 무신론자였다. 따라서 그들은 일단 '무신론자'들은 그들과 적어도 같은 생각을 하는 사람이라고 생각했다.

그런데 이 유명한 운동권 인사는 신을 부인하고 있는 것이 아닌가.

그리고 2주일 뒤 현문스님은 뜻밖에 석방 통보를 받는다. 아무런 설명도 없이 공산당이 현문스님을 사면한 것이다. 자신의 사면이 그 여교수의 인터뷰 보고서 때문이었다는 사실을 알게 된 것은 석방 훨씬 뒤의 일이었다.

오랜 저항운동과 감옥생활. 그 속에서 그는 더이상 정치적인 행동을 통해서는 사회에 도움이 될 수 없다고 생각했다. 고문과 고통스러운 수감생활이 가져다준 변절이 아니었다. 그는 감옥을 나온 뒤 심한 우울증에 빠졌다.

'아! 나는 누구인가.'

이 길이 옳은 길이라고 생각하며 그토록 열심히 반정부 투쟁을 해왔건만 마음속은 허전했다. 당시 그와 투쟁했던 동지 몇몇은 티벳 불교에 심취하고 있었다. 당시 폴란드 정부는 카톨릭을 탄압하는 대신 불교에 대해서는 무신론이라 하여 간섭하지 않았다.

친구들은 티벳 불교의 대선사인 카루 린포체에게 그를 소개했고 현문스님은 그의 지도 아래 명상수행을 했다. 현문스님은 아주 열심히 수행에 참여했다. 이틀에 한 번씩 불교경전도 공부했다.

그러던 어느 날, 현문스님은 불교신자인 한 친구로부터 녹음 테이프 한 개를 선물받는다. 그것은 숭산 큰스님의 영어법문 녹음이었다. 그는 테이프를 듣는 순간 깜짝 놀랐다고 한다.

'이분이야말로 나의 진정한 스승이다.'

그는 자신의 오랜 방황이 그제야 끝나는 듯한 환희에 휩싸였다. 며칠 뒤 현문스님은 친구들의 도움으로 큰스님이 폴란드의 수도 바르샤바에 운영하시고 있던 젠센터를 방문하게 된다.

바르샤바 젠센터는 1978년에 문을 연 것으로 당시 큰스님의 가르침은 삶에 환멸을 느낀 폴란드 젊은이들 사이에 점점 파고들고 있었다. 현문스님은 이곳에서 용맹정진을 마치고 다시 고향 크라콥으로 돌아갔다.

불교는 그들에게 복음과 같은 것이었다. 티벳·중국·일본의 불교 서적들이 서구를 거쳐 폴란드로 몰래 수입되고 있었고 학생들과 지성인들은 너도나도 그것을 복사해다 읽었다. 현문스님 말에 따르면 어떤 책은 너무 여러 번 복사를 해 읽기가 어려운 것도 많았다고 한다.

현문스님은 1년 후 드디어 숭산 큰스님의 폴란드 방문소식을 듣는다.

그런데 당장 바르샤바 대학까지 갈 차비가 없었다. 그는 가장 아끼고 있던 로큰롤 음반을 모두 내다팔았다. 책과 옷가지까지 다 팔았다.

그렇게 마련한 여비로 바르샤바 대학으로 간 스님은 깜짝 놀랐다. 이미 선방에는 수백 명의 사람들이 모여 있었기 때문이다. 복도에까지 사람들로 가득했다. 그는 강의실에 들어가지도 못하고 열린 문틈 사이로 새어나오는 큰스님의 목소리만 들어야 했다.

그날은 폴란드 내의 유명한 지성인들이 모두 한자리에 모인 거대한 사건이었다고 한다.

큰스님은 바르샤바 대학에서 곧장 강의를 마치고 바르샤바 젠센터로 가셨다.

젠센터 선방은 이미 완전히 만원이었다. 현관과 복도에까지 빼곡이 주저앉아 너도나도 참선을 배우려고 난리도 아니었다. 심지어 어떤 사람들은 부엌에까지 주저앉아 참선수행을 하고 있었다.

그렇게 큰스님과 인연을 맺은 현문스님은 본격적으로 큰스님의 일을 돕는다. 우선 고향 크라쿱에 젠센터를 만드는 데 큰 공헌을 했고 숭산 큰스님이 좀더 자주 폴란드를 방문할 수 있도록 도와드렸다.

재미있는 것은 큰스님의 폴란드 방문 때마다 쌍수를 들고 반대를 한 것은 폴란드 주재 북한대사관 사람들이었다고 한다. 그들은 폴란드 사람들이 혹시 남한 사상에 물들까 하고 매우 경계를 했다는 것이다. 그리하여 어떤 때는 큰스님의 뒤를 미행하고 몰래 비밀요원을

모처럼 한자리에 모인 나의 도반들. 왼쪽부터 대성스님(미국), 현각, 오진스님(폴란드), 청안스님(헝가리), 원도스님(헝가리)

파견하여 큰스님의 설법을 적어가기도 했다. 한번은 큰스님이 폴란드에 '한국 불교 문화전시회'를 하신 적이 있었는데 그들이 거리에 붙인 포스터를 모두 찢고 전시장에까지 와서 행패를 부렸다고 한다.

그러나 이같은 방해는 오히려 폴란드 정부를 불편하게 하는 결과를 만들어냈고 큰스님을 더 유명하게 만들었다.

현문스님은 바르샤바 젠센터에서 생활했지만 오랜 기간 출가를 주저했다. 결혼도 않고 수행을 열심히 하는 수행자였기 때문에 출가를 한 것이나 마찬가지이긴 했지만 출가보다는 돈을 벌어 큰스님을 지원하는 것이 더 필요하다고 생각했다. 그래서 그는 보석사업을 시작해 돈을 꽤 많이 번다.

나는 언젠가 현문스님께 "왜 하필 보석가공 일을 시작했느냐"고 물었더니 그는 "여자들이 보석에 돈 쓰기를 좋아하니까 돈을 쉽게 벌 수 있을 것 같아서"라고 대답했다.

사업이 번창하면서 그의 무대도 넓어졌다. 프랑스, 이탈리아, 싱가포르를 제집 드나들 듯 왔다갔다하며 사업을 발전시켰다.

수익금의 대부분은 각 나라에 세워진 큰스님의 젠센터에 송금했다. 폴란드 사람들이 한국의 동안거와 하안거에 참여할 수 있도록 비행기표와 생활비를 대주기도 했다. 그렇게 돈을 많이 벌었으면서도 한번도 자기 자신을 위해서는 쓰지 않았다. 출가를 안 했어도 출가한 스님이나 마찬가지였던 것이다.

어느 날 큰스님이 그에게 "이제 출가할 때가 되었습니다"라고 말했다. 그는 "아직 때가 안 됐습니다. 한 몇 년 더 있어야 합니다"라고 말했다. 그러자 큰스님은 이렇게 되물었다.

"당신은 태어날 때 자기 자신에게 '내가 태어날 준비가 되었느냐' 하고 묻고 태어났습니까? 또 죽을 때 '내가 죽을 때가 되었는가' 하고 죽습니까?"

현문스님은 그저 미소만 지을 뿐 아무 말이 없었다.

"자 이제 머리를 깎고 스님이 되십시오. 당신은 이미 오래 전 출가한 수도승이나 마찬가지입니다. 두려워할 것은 아무것도 없습니다."

현문스님은 고개를 끄덕였다. 그리고 두 달 후 그는 출가를 했다.

그 역시 지금 서울 화계사 국제선원에서 생활하신다. 한국 문화를 누구보다도 사랑하는 그는 한국의 전통예술, 그중에서도 목공예와 도금공예에 관심이 많다. 늘 어린아이 같은 천진한 웃음을 잃지 않고 부지런히 수행하시는 현문스님. 그에게 존경을 보낸다.

명공스님

명공스님 역시 아주 재미있고 특별한 스님이다. 그는 지금으로부터 약 60년 전에 소련에서 태어났다. 소련에서 아주 유명한 생물학 박사였다. 러시아에서 가장 명문인 모스크바 대학에서 박사학위를 두 개나 받았다. 그 나라에서 일반 사람은 만질 수 없는 많은 월급을 받았던 과학 엘리트 중 한 사람이었다. 소련에서는 일단 모스크바 대학에 들어가서 졸업만 하면 편안한 삶이 보장되었다.

그의 연구 결과는 매번 훌륭한 것이어서 그는 아주 잘 나가는 생물학자로 대접받았다. 그러나 점점 공산주의 사회의 본질에 대해 심각한 의문을 제기하기 시작했다. 일거수 일투족을 옥죄는 사회 시스

템이 견디기 힘들었다.

그는 사회주의가 자본주의보다는 나은, 아니 정치적 유토피아라고 생각했다. 그런데 그게 아니었던 것이다. 오히려 완전히 부패와 강압만이 가득한 곳이 공산주의 사회가 아닌가 하는 의심이 들기 시작했다.

그는 점점 사회를 강도 높게 비판했고 동료학자들은 그를 점점 멀리하기 시작했다. 그를 아끼는 친구들은 제발 마음을 다시 고쳐먹고 사회에 순응해 살 것을 부탁했다. 그러나 그럴 수가 없었다. 결국 연구원에서 쫓겨나 국내 추방을 당하게 된다. 시베리아의 황량한 벌판에 버려져 텐트를 치고 사냥을 하는 원시인과도 같은 삶이 그를 기다렸다.

당시 소련 정부는 능력 있는 과학 엘리트들이 다른 나라로 망명하는 것을 제일 두려워했다. 공 들여 연구한 생산물들이 국외로 유출될 것을 우려했기 때문이다. 따라서 사회에 비판적이다 싶은 과학자들은 그런 식으로 격리를 했다.

춥고 외로운 곳에서 몇 년을 보낸 후 명공스님은 상트 페테르부르크에 옮겨 살게 되었다. 그는 공장에서 노동자로 일하면서 생계를 꾸려가야 했다.

그즈음 대통령이 된 고르바초프는 개방정책을 펴 소련의 빗장을 조금씩 열기 시작했다. 때맞춰 마침 큰스님의 강연이 페테르부르크에서 열렸다. 개방 분위기와 전통적으로 불교에 대해서만큼은 상대적인 관대함을 가지고 있던 공산주의 사회의 특성 때문에 큰스님은 1980년대 후반 러시아 전국을 돌아다니며 법문을 하셨고 모스크바와 페테르부르크에 젠센터를 개설하기에 이른다.

명공스님은 큰스님을 만나자마자 큰 감명을 받고 제자가 되기로 마음먹었다. 큰스님을 만났을 때 그는 삶과 죽음에 대한 근원적인 질문을 던졌는데 큰스님은 간단한 대답으로 그의 복잡한 생각을 끊어놓았다. 그는 그날로 페테르부르크 젠센터로 가서 수행을 시작했다. 경전도 열심히 보고 공부도 많이 하고 숭산스님의 책도 많이 읽었다.

그는 소련 체제가 무너진 뒤 1996년에 서울 화계사로 와서 동안거를 시작하면서 출가를 했다. 당시 50대 후반이었는데 행자생활을 어찌나 열심히 했는지 화계사에서 아주 유명했다. 특히 작년 화계사에 수해가 났을 때 나는 그가 일하는 모습을 보고 정말 입을 다물지 못했다. 큰 바위들을 옮기고 더러워진 가재도구를 쉬지 않고 정리하는 그를 보면서 정말 대단한 사람이라는 것을 다시 한번 확인했다.

화계사 신도들은 그를 아주 존경한다. 처음 한국에 왔을 때 소련에서 하도 고생을 해서 이빨이 거의 남지 않았는데 신도들이 그가 일하는 것을 보고 너무 감동해서 이빨까지 다 해줄 정도였다.

러시아 민요와 비슷하다며 틈날 때마다 한국 뽕짝을 듣는 게 그의 유일한 취미이다.

치린스님

이분은 싱가포르 출신인 중국계 스님이다. 그는 최근 3년 동안 화계사 국제선원에서 생활하고 있다.

치린스님은 나의 사제(師弟)이지만 나는 한번도 그렇게 생각한 적이 없다. 내가 그에게 가르친 것보다 배운 것이 더 많기 때문이다.

그는 스님이 되기 전에 싱가포르에서 스쿠터를 몰고 다니며 안 다닌 데가 없을 만큼 자유분방한 생활을 해왔다. 그러나 마음속 한 켠은 허무감과 삶에 대한 의문들로 가득 차 있었다.

그가 처음에 접한 불교는 중국 불교로 경전도 많이 읽었고 예불도 직접 주도하면서 열심히 절에 다녔다. 그러다 1996년 싱가포르 젠센터에서 큰스님을 만나 큰스님 밑에서 출가를 했다. 그리고는 아예 한국으로 와 살고 있다. 그는 아주 순수하며 온화한 마음을 가졌다.

또 차[茶]에 관한 한 타의 추종을 불허하는 전문가다. 어떤 차든지 한 모금만 마시면 이 차가 어느 나라 것인지는 물론 차의 성분이 무엇이고 얼마나 오래된 것인지 금방 알아차린다. 심지어 찻잎을 언제 어느 철에 땄는지까지도 알 수 있다고 한다.

"아니, 스님. 언제 그렇게 차에 대해 연구를 하셨어요?" 하고 물으면 그는 하하하 웃으며 이렇게 대답했다.

"저는 중국인입니다. 태어나면서부터 차를 마셨으니 당연한 일 아닙니까."

치린스님은 앞으로 싱가포르를 비롯한 동남아 전역에서 큰스님의 가르침을 알릴 스님이 될 것이다.

도관스님

마지막으로 내가 소개하고 싶은 스님은 화계사의 도관스님이다. 그는 한국인 스님이다. 내가 감히 한국인 스님들을 이러쿵저러쿵 얘기를 해도 되는 것인지 몰라 여러 번 고민했지만 개인적으로 도관스님께 가르침을 받은 것이 많기 때문에 여기에 마지막으로 적기로 했다.

그는 진정한 수행자다. 화계사 총무 스님으로 눈코 뜰 새 없이 바쁘시면서도 매일 참선과 수행을 빼놓지 않는 스님이다. 나는 도관스님의 삶을 보면서 저런 수행자의 삶을 살아야 한다고 생각한다.

나는 한국의 많은 스님들이 되도록 신도들과 일정 정도 거리를 유지하고 싶어한다고 생각한다. 심지어 신도들과 수행을 같이하고 싶어하지 않는 스님들도 보았다. 그러나 도관스님은 매일 하는 모든 수행을 신도들과 그리고 다른 스님들과 항상 나누려 하신다.

그는 지난 3년 동안 화계사에서 한 달에 한 번씩 진행해온 3천 배 행사를 빠지지 않고 지도하신다. 이건 보통 일이 아니다. 매달 3천 배 행사 때마다 화계사에는 3백여 명이 몰려드는데 도관스님은 몸이 아프건 말건 일이 많건 적건 상관없이 매달 거르지 않고 3천 배 행사를 주관하시는 것이다.

나는 보통 스님 옆에서 3천 배 수행을 하곤 하는데 병이 났을 때도 신도들과의 약속을 지키기 위해 3천 배를 계속하는 그의 모습을 보면서 큰 감동을 받곤 했다.

저녁 일곱 시부터 새벽 세 시까지 50분 절하고 10분 쉬는 식으로 진행되는 3천 배. 도관스님은 그 10분 쉬는 시간에도 온전히 당신 자신을 위해 시간을 쓰지 않고 신도들 곁으로 간다. 그러면서 힘들지는 않은지 염려하고 조금만 더, 조금만 더 하면서 그들을 격려한다.

모든 일상을 수행과 접목시키려는 그의 삶이야말로 참다운 수행자의 삶이라고 생각한다.

서양의 불교 바람

세계적 농구스타인 마이클 조던, 세계적 영화배우인 리처드 기어, 키아누 리브스, 해리슨 포드, 톰 행크스, 브래드 피트, 윌리엄 데포, 맥 라이언, 스티븐 시걸, 에디 머피, 우피 골드버그, 우마 서먼, 가수 마돈나, 티나 터너, 레너드 코헨, 영화감독 올리버 스톤…….

이름만 듣고도 아하 그 사람! 하고 탄성을 내지르는 독자들이 많을 것이다.

이들은 요즘 하나같이 참선수행과 불교에 심취해 있는 세계적 스타들이다. 우선 생각나는 대로 적은 것이니 사실 이보다 훨씬 많을 것으로 짐작한다.

마이클 조던이 참선수행을 열심히 한다는 것은 유명한 이야기다. 〈타임〉지는 1999년 1월 그의 은퇴를 다룬 커버 스토리 기사에서 조던이 선수 시절 매일 참선수행을 해왔는데 그로 인해 경기에서 더 큰 기량을 발휘할 수 있었던 것 같다고 소개했다. 〈타임〉지는 참선수행이 개인플레이가 강하던 조던을 팀플레이를 중시하는 선수로 변모시켰다고 덧붙였다.

나는 마이클 조던이 기자들과 인터뷰하는 것을 텔레비전에서 본 적이 있다.

1988년 그가 소속한 시카고 불스가 우승했을 때였다. 그의 옆에 몰려든 수백 명의 기자 중 한 기자가 "상대편 유타 재즈 선수들은 시카고 불스 선수들보다 젊고 빠른데 어떻게 이길 수가 있었느냐"고 비결을 물었다. 그러자 조던은 "참선수행의 힘"이라고 잘라 말했다.

"참선수행이 우리 팀을 한마음으로 만들었다. 필 잭슨 감독은 지난 28년 동안 일본 선사 밑에서 참선수행을 해왔다. 그는 시카고 불스에 신인선수가 들어올 때마다 스즈키 로쉬의 《선의 마음, 초발심》이라는 책을 권한다. 그리고 참선수행 프로그램 참여를 권유한다. 나 역시 감독의 권유로 참선을 시작했다. 참선은 나의 급한 성격을 열정과 자신감으로 뒤바꿔놓았다."

리처드 기어는 마이클 조던과 함께 미국에서 아주 유명한 불교 신자이다. 그는 달라이 라마와도 아주 가까운 사이이고 현재 티벳 불교의 전파와 독립운동에도 깊이 관여하고 있다. 수백만 달러를 기부해 인도와 티벳에 있는 티벳 사찰을 지원한다. 또 미국에 티벳 불교 전파와 티벳 독립 운동을 지휘하는 뉴욕 '티벳 하우스'의 설립자이기도 하다. 미국 의회에도 초청돼 티벳의 식민지 상황에 대해서도 여러 차례 증언했다. 동료 할리우드 스타들에게 포교를 하고 기금을 모아 전세계 티벳 난민과 스님들을 지원하고 있다.

지난 1997년 중국 장쩌민 주석이 처음으로 미국을 방문했을 때 백악관에서 공식 만찬이 열리던 날 리처드 기어는 미국의 수많은 티벳불교 신자들과 티벳 해방을 외치는 큰 시위를 주도하기도 했다. 그의 이런 활동은 중국 정부의 미움을 사, 그는 현재 중국 입국이 금지된 사람이다. 같은 해 11월에는 미국 ABC 방송의 '오프라 윈프리 쇼'에 출연, 불교에 관한 특별대담을 가져 전 미국인들의 주목을 받았었다.

리처드 기어는 영화배우로 유명해지기 훨씬 전부터 참선수행을 열심히 해왔다고 한다. 지난 25년간 하루도 빠지지 않고 한 시간 이상은 참선을 했다고 하니 대단한 사람이다.

그는 처음엔 일본 승려로부터 지도를 받았는데 8, 9년 전 우연히 티벳 여행을 갔다가 티벳 불교에 반해 지금은 열렬한 티벳 불교 신자가 되었다.

2년 전부터는 언론 매체와의 인터뷰 때마다 "출가를 해 스님이 되고 싶다"고 밝히기도 했다.

리처드 기어는 1998년 1월 그동안 티벳과 네팔, 인도의 티벳 망명자 거주지를 여행하면서 찍은 사진인 '순례자'라는 전시회를 달라이 라마의 대만 방문에 맞춰 열었다.

그는 대만에 도착해 가진 기자회견에서 "나는 기독교인이었으나 항상 뭔가를 잃어버린 듯한 허탈한 느낌을 갖고 있었다"며 "그러나 달라이 라마를 통해 불교를 만나 모든 것에 의문을 제기할 용기를 갖게 됐다"고 말했다.

마돈나는 요즘 요가에 심취해 있다. 그녀는 스타가 된 뒤 인터뷰 할 때마다 항상 남자친구나 섹스 이야기뿐이었는데 최근에 자신이 영적인 수행의 하나로 요가를 하고 있다고 밝혀 관심을 모았다.

어렸을 때 독실한 카톨릭 집안에서 자란 그녀는 이제 전생이나 내생에 대해서도 강하게 믿는다고 했다.

해리슨 포드, 스티븐 시걸 역시 독실한 불교 신자다. 특히 티벳 불교에 심취해 있다. 그들은 기회가 나면 티벳이나 네팔, 인도 등지를 여행하고 돌아온다.

팝송 'I'm your man'으로 유명한 가수 레너드 코헨은 지금 63세인데 지난 30년 동안 일본 선사 밑에서 참선수행을 해왔다. 그는 현재 출가해 일본 불교를 포교하는 스님으로 살고 있다.

티벳 불교

미국에서 압도적인 인기를 얻고 있는 티벳 불교와 한국 불교는 어떤 면에서 아주 비슷하다. 둘 다 대자대비심(大慈大悲心)과 지혜를 강조한다. 스승들은 아주 힘이 넘쳐흐른다. 또 두 나라 불교 모두 샤머니즘 색채가 있다. 불교가 들어오기 전부터 각자의 나라에 뿌리 깊게 박혀 있던 샤머니즘 전통과 불교가 결합했기 때문이다. 두 불교 모두 수행 스타일이나 가르침 스타일이 비슷하기 때문에 한 사찰에서 같이 수행하기도 한다.

미국 내에서 달라이 라마의 인기는 상상을 초월한다. 에반스톤에 있는 '세계 신사고(新思考)협회'의 이사 바바라 필즈 번스타인은 달라이 라마를 가리켜 "마하트마 간디와 마틴 루터 킹 이래 인종과 종교의 벽을 뛰어넘는 유일한 지도자"라고 극찬했다.

올해 여름 한국의 광복절인 8월 15일에 뉴욕의 센트럴 파크에서 열린 달라이 라마 강연에는 무려 4만여 청중이 운집했다. 연예 공연 등 흥행집회를 빼면 교황말고 이처럼 많은 사람을 모은 집회는 없다

1999년, 지리산 상선암에서(지인스님 사진)

고 한다. 미 언론들은 현재 미국에 세번째 아시아 사상붐이 일고 있다고 진단하면서 달라이 라마와 티벳 불교가 이 붐의 핵심을 이루고 있다고 보도했다.

과거 두 차례 있었던 아시아 사상 열풍은, 19세기 불교와 힌두교에서 영향받은 초월주의 열풍과 60년대 자본주의와 베트남 전쟁의 여파로 각광받았던 불교붐이었다. 현재 달라이 라마가 주도하고 있는 세번째 열풍은 티벳 불교와 일본 불교, 선 등의 아시아 사상으로 이들 사상은 물질 문명에 신물이 난 미국인들의 정신적 도피처로 광범위한 관심을 끌고 있다는 것이 언론인들의 분석이다.

여기에 리처드 기어, 스티븐 시걸, 줄리아 로버츠, 해리슨 포드, 마틴 스콜세지 등 할리우드 스타들이 티벳 불교의 홍보에 나서면서 달라이 라마 붐을 형성해가고 있다.

달라이 라마는 뉴욕 센트럴 파크 강연뿐 아니라 8월 한 달 동안 미국을 여행하며 강연했다. 특히 이중에는 인디애나주도 포함되어 있었다. 인디애나는 전통적으로 기독교적 문화가 강한 곳인데도 아주 많은 사람들이 모여 달라이 라마의 강연을 경청했다.

지난 8월 17일부터 달라이 라마가 방문중인 인디애나주의 블루밍턴에서는 오래 전부터 행사준비를 해왔다고 한다. 현지 티벳 문화 센터는 행사 장소에 수천 명을 수용할 텐트를 세우고 에어컨 시설을 완료했다. 행사기간 12일 동안 투입되는 예산은 2백만 달러. 8월 28일 시카고 자연사 박물관에서 열렸던 달라이 라마 강연회의 125달러짜리 입장권은 사전에 거의 매진됐다.

달라이 라마와 가까운 서양의 수도승 니콜라스 브리랜드 뉴욕 티벳 센터 소장은 달라이 라마의 미국 방문을 준비하고 수행하는 총책

임자다. 달라이 라마와의 인연은 1979년 인도에서 그의 사진을 찍
으면서 시작됐다. 당시로선 드물게 명상과 수행에 관심을 가진 벽안
의 청년에게 달라이 라마는 첫 미국행의 공식 카메라맨을 맡아 달라
고 부탁했다고 한다. 뉴욕 대학 출신의 사진작가 니콜라스는 이후
티벳 불교에 심취, 수도승이 되기로 결심했다. 주위 사람들은 깜짝
놀랐다.

그의 할머니 다이애나는 패션잡지 〈하버스 바자〉의 편집장을 지
낸 패션계의 전설적 인물이었다. 그녀는 생전에 손자의 결심에 실망
하여 의절을 선언하기도 했다. 그의 아버지는 외교관, 어머니는 시
인, 동생은 최고급 남성복을 만드는 아르마니의 수석 부사장이다.

니콜라스는 티벳 센터 초대소장인 키용라 라토 린포체를 만나 다
시 태어났다. 14년간 인도 사원에서 고행을 한 그는 이제 "전기도
전화도 뜨거운 물도 없는 인도의 사원 생활보다 맨해튼 생활이 더
힘들다"고 토로한다.

미국의 불교 열풍

현재 미국에는 무려 1천5백여만 명이 참선이나 비파사나 명상,
요가수행 등 동양식 수행에 참여하고 있다고 한다. 이중 스스로 불
교 신도를 자임하는 사람은 약 5백만 명 선으로 추산되고 비아시아
계는 1백50만 명 정도이다.

미국 등 서구의 불교붐은 달라이 라마의 개인적 인기가 결정적
역할을 하고 있다.

1994년 미국의 ABC 방송의 인기 높은 프로그램인 피터 제닝스의

'나이트 뉴스'는 최근 급격히 늘고 있는 미국의 '불교 인구'를 집중적으로 소개하면서 1994년 현재 미국 인구의 4백만에서 6백만 명이 불교 신자라고 밝혔다. 이는 미국 내 수많은 기독교 종파들 중 그 어떤 종파보다도 많은 숫자라고 덧붙였다.

1994년 6월과 11월 사이 미국의 〈월스트리트 저널〉〈USA 투데이〉〈뉴스위크〉〈뉴욕매거진〉 등 저명한 잡지에서도 당시 일기 시작한 불교붐을 주요기사로 다루었다.

1997년 10월 〈타임〉지는 유명배우인 브래드 피트를 표지 사진으로 한 커버 스토리로 '불교에 매혹된 미국'이라는 기사를 다루었다. 불교에 관심 있는 지식인들과 할리우드 배우들을 소개했다. 이 기사는 프랑스의 유명 영화감독 장 자크 아노의 말을 인용하면서 서양에서 불교는 이제 더이상 낯선 종교가 아니라고 했다. 〈타임〉지에 따르면 1997년 10월 당시 미국의 인터넷 서점인 아마존은 무려 1천2백 권의 불교 서적을 판매하고 있었다. 지금은 아마 1천3백여 권 정도로 늘었을 것이라는 게 내 생각이다.

한편 1988년 돈 모리알이라는 미국 사회학자는 《미국의 불교신자》라는 책을 내면서 미국 전역에 흩어져 있는 불교센터, 수련원, 명상센터의 리스트와 전화번호를 작성했는데 그 페이지 수가 무려 350페이지나 됐다. 미국 내에서 불교 열기가 얼마나 뜨거운지 짐작할 수 있게 하는 대목이다.

이 책은 수개월 동안 베스트셀러의 목록에 올랐었다. 발간 당시 책에 수록된 불교 사찰과 참선수련센터는 총 429개였는데 1995년 개정판에 따르면 1천62개로 7년 만에 무려 세 배가 넘게 증가했다. 놀라운 성장이 아닐 수 없다. 학자들의 추산에 따르면 1999년 현재

1천6백 개가 넘을 것이라고 한다.

요즘 미국에는 이같은 열기를 반영하듯 매년 불교 잡지가 새로 창간되고 있으며 수백 개의 불교 관련 인터넷 사이트가 있다.

현재 미국에서 가장 잘 팔리는 불교 잡지는 〈트리사이클〉(Tricy-cle)로 매달 20만 부가 팔린다. 이 잡지는 미국의 영향력 있는 지식인들인 게리 스나이더(Gary Snyder), 알렌 긴즈버그(Allen Ginsburg), 독일의 위대한 지성 위르겐 하버마스(Jurgen Habermas) 등 당대의 논객들이 주요 칼럼니스트이다. 탁월한 상상력으로 지적 영역을 넓혀가고 있는 호세 루이스 보르헤스(Jorge Luis Borges)의 강의록도 발췌되어 실린다.

이 잡지 창간과 발간의 '돈줄'은 그 유명한 록펠러 일가이다. 록펠러 일가는 이뿐 아니라 지난 35년 동안 미국의 불교 포교를 위해 많은 일을 해왔다. 특히 뉴욕시 북쪽에 거대한 일본식 사찰을 건축하는 데 거금을 냈다. '대보살사'라 명명된 이 절은 일본에 있는 대형 사찰과 비교해도 손색이 없을 정도로 아름답게 지어져 유명한 관광지가 되고 있다. 일본 목재를 들여와 일본인 목수의 손으로 직접 지었다. 또한 록펠러 일가는 리처드 기어가 뉴욕시에 건립한 티벳 불교 포교 및 티벳 난민 지원 센터인 〈티벳 하우스〉의 운영도 돕고 있다.

록펠러 일가의 한 사람인 스티븐 록펠러는 보스턴 북쪽에 있는 미들베리 대학의 불교학 교수로서 달라이 라마를 가장 가까이에서 돕는 미국인 중의 한 사람이다.

지난 몇 년간 베스트 셀러가 된 책들 중에는 불교 신자들이 쓴 책이거나 유명한 작가들이 쓴 불교에 관한 이야기가 많다.

미국의 일간지인 〈뉴욕 타임스〉 베스트 셀러 목록은 미국 전역에서 가장 권위 있는 집계로 정평이 나 있다. 소설 부문과 비소설 부문으로 나뉘어 열 종씩 총 스무 종의 베스트 셀러가 매주 선정돼 소개된다. 이중 비소설 부문에는 소설을 제외한 모든 장르의 책이 포함되기 때문에 특히 학자들은 너나할것없이 비소설 부문 베스트 셀러에 관심을 갖는다. 이 비소설 부문 베스트 셀러의 목록이야말로 요즘 미국인들의 가장 큰 관심사가 무엇인지를 단적으로 대변해주고 있기 때문이다. 즉 미국인들이 무엇을 생각하며 살고 있는지를 보여주는 것이다.

지난 8월말 〈뉴욕 타임스〉가 선정한 비소설 부문 10대 베스트 셀러에는 달라이 라마의 책 두 권이 나란히 순위에 올랐다. 《행복의 기술》(The Art of Happiness)과 《새 천년의 윤리》(Ethics for the Millennium)가 그것들이다.

2년 전에는 《티벳 경전에서 말하는 삶과 죽음》(The Tibetan Book of Living and Dying)이 1위를 차지, 미국 전역에서 무려 1천만 부 이상이 팔렸다.

지난해 비소설 부문 1위는 《승려와 철학자》(Monk and Philosopher)였다. 저자는 부자 관계로 한 사람은 철학자이고 한 사람은 승려다.

아버지인 장 프랑수아 르벨(Jean François Revel)은 프랑스의 대표적 지성 중 한 사람이고 그의 아들 마티유 리카르(Mattieu Ricard)는 장차 프랑스 노벨상 기대주였다. 마티유는 노벨화학상을 받은 위대한 프랑스 과학자 자크 모노(Jacque Monor)의 조교를 지냈으며 분자생물학 박사학위를 받은 뒤 세계에서 가장 권위 있는 연구기관으로 꼽히는 파스퇴르 연구소에서 연구생활을 했다. 그러다 티벳 불교에 귀의해 승려가 되었다.

"연구를 열심히 해서 과학 발전에 기여하는 삶도 값진 것 아니었겠느냐"는 아버지의 질문에 마티유는 이렇게 대답했다.

"운이 좋게도 저는 이 세상 각 분야에서 가장 뛰어나다는 사람들과 교류했습니다. 위대한 음악가들도 사귀었습니다. 그렇지만 그들을 만나면서 '저것이 내가 열망하는 것인가? 나는 그들처럼 되고 싶은가?' 라는 의문이 생겼습니다. 뭔가 허전하다는 느낌을 떨쳐버릴 수가 없었던 것이지요. 비록 그런 사람들을 높이 평가하긴 했지만 그와 동시에 그들이 자신의 분야에서 발휘하는 천재성을 빼면 가장 소박한 인간적인 완성, 예를 들자면 남을 배려하는 마음이라든가, 선량함 혹은 진실함이 동반되지 않는다는 사실을 확인했기 때문입니다. (중략) 그러다 인도에 갔습니다. 그곳에서 티벳의 위대한 스승 칸규르 린포체를 만났습니다. 단 3주일 동안 그를 만났을 뿐인데 저에겐 아주 인상적이었습니다. 그분은 그저 선량함이 흐르는 70세의 노인이었습니다. 우리는 많은 말을 나누지 않았습니다. 그러나 그분 앞에 하루 종일 앉아 있으면서 저는 소위 '명상'이라는 것을 하는 듯한, 다시 말해 그분의 면전에서 제 자신의 내면을 성찰하는 듯한 느낌을 받았습니다. 제게 깊은 인상을 준 것은 바로 그분의 인격, 그분의 존재 자체였습니다. 그분에게서 나오는 깊이, 힘, 고요함이 제 정신을 열었던 것입니다."

영화에도 불교적 상상력을 도입해 흥행에 성공한 경우가 많다.

작년에 미국에서 큰 성공을 거둔 블록버스터 〈매트릭스〉는 곳곳에 불교적 세계관이 잘 녹아 있는 영화다. 키아누 리브스가 주연한

142

이 영화는 올해 여름, 한국에서도 개봉돼 큰 인기를 끌었다. 이 영화는 요즘 미국인들이 동양 사상, 특히 불교에 관심을 갖고 있으며 급기야 불교적 세계관을 대중문화에까지 접목시키고 있다는 것을 보여주는 훌륭한 예다.

영화의 주인공인 네오는 컴퓨터 해커인데 마음 한구석에는 늘 이 세계가 진짜가 아닐 것 같다는 의심을 안고 산다. 그러다 스승 모피스를 만나 현실을 제대로 보고 이를 타파할 수 있는 힘을 기른다. 모피스는 네오에게 아무것도 주지 않았다. 다만 문을 열어주었을 따름이다.

모피스는 네오에게 이렇게 말했다.

"이 세계는 꿈이다. 그런데 사람들은 그 꿈을 현실이라고 믿으며 보고 듣고 냄새 맡고 맛보고 만지는 감각에 집착하며 흔들려 살고 있는 것이다."

네오는 모피스와 그의 동료들의 도움으로 그전까지 살아온 모든 일들이 헛된 거짓말이라는 것을 깨닫고 꿈에서 깨어나 이제는 다른 사람들을 고통의 잠에서 깨우기 위해 다시 세상으로 돌아온다.

영화의 처음부터 끝까지 모피스는 네오에게 마음을 자유롭게 해야한다고 강조한다.

이 영화는 불교의 〈금강경〉이나 〈반야심경〉의 가르침을 그대로 옮겨 놓은 것이다. 주인공인 키아누 리브스를 비롯하여 감독, 시나리오 작가 모두 독실한 불교 신자이다.

또 지난 여름 전 미국에서 6주 동안 흥행 1위를 차지한 영화 〈식스 센스〉는 죽은 사람의 의식을 볼 줄 알고 그 사람들과 이야기를 나누는 신비한 소년에 관한 이야기다. 이 영화 역시 한국에 개봉돼 화제가 됐었다. 이 영화는 점점 더 많은 미국인들이 전생이나 환생에 대한 개념에 익숙해져 가고 있다는 것을 반증하는 것이다.

미국에서 불교에 관심을 갖는 사람들은 대부분 중산층 이상의 인텔리 계층이다. 앨 고어 부통령이 불교 신자라는 것은 공공연한 비밀로 알려져 있다. 정치인이기 때문에 특정 종교를 믿고 있다고 얘기하진 않지만 관심 있는 사람들은 그가 얼마나 불교 교리에 감동과 존경을 보내고 있는지는 환경문제에 대한 그의 베스트 셀러인 《Earth in the Balance》에 잘 나와 있다고 보고 있다.

고어는 이 책에서 모든 살아 있는 것들(불교식으로 얘기하면 중생들)이 어떻게 서로 상호 작용하고 있는지 '관계'에 대한 그의 생각들을 표현하고 있다. 그리고 그것은 고어 부통령이 읽은 수많은 불교책, 그리고 불교 학자들, 환경운동가들과의 대화에서 연유한 것들이다. 그는 또 달라이 라마와도 정기적인 만남을 갖고 있다.

불교는 미국에서만 인기 있는 게 아니다. 프랑스, 스페인, 이탈리아, 독일, 영국, 네덜란드에서는 불교 신자들의 숫자가 기하학적으로 늘고 있다. 프랑스 학자들은 향후 2, 3년 안에 프랑스에서 불교가 카톨릭과 회교에 이어 세번째로 신자가 많은 종교가 될 것이라고 한다. 20세기의 가장 위대한 철학자 중 한 사람인 아놀드 토인비 경은 죽기 2, 3년 전에 기자회견을 한 적이 있다. 그때 기자들로부터 이런 질문이 나왔다.

"미래 역사가들이 만약 20세기 역사를 쓴다면 우리 인류 역사상 가장 큰 사건이 무엇이었다고 쓸 것 같습니까?"

그들은 토인비의 입에서 제2차 세계대전, 원자폭탄 발명, 히틀러의 등장, 공산주의의 확산, 비행기의 발명, 정보통신의 비약적인 발전 등이 나오리라고 생각했다.

　그러나 뜻밖에도 그의 입에서는 다음과 같은 대답이 튀어나왔다.

　"가장 중요한 사건은 석가모니 부처의 가르침이 서양에 전파된 것이지요."

　그 자리에 있었던 대부분 사람들은 그 당시까지만 해도 토인비의 말을 이해하지 못했다.

나는 불교로 개종했는가

돌이켜보니 어느새 스님 생활 10년이다.

많은 한국 사람들은 나에게 어떻게 카톨릭 신자가 불교 신자로, 그것도 수행자가 되었느냐고 묻는다. 이른바 개종한 이유를 궁금해하는 것이다. 참 당혹스러운 질문이다.

나는 그런 질문을 받을 때마다 나 자신에게 이렇게 묻는다.

'나는 불교로 개종했는가?'

그런데 나는 여태까지 한번도 내가 종교를 바꿨다고 생각한 적이 없다. 물론 기독교나 카톨릭이라는 하나의 종교적 관점에서 보면 나는 분명 개종을 한 셈이다. 그런 관점에서 보자면 나는 너무 바보 같고 불쌍한 인간이다. 이 세계의 유일한 진리를 버리고 다른 길을 걷고 있으니 말이다.

나는 서울에서 주로 지하철이나 버스를 타는데 아주 열정에 찬, 순수한 마음으로 가득한 기독교 신자들이 나에게 다가와 '평생 씻을 수 없는 죄를 짓고 있다'고 말하면서 '내가 잘못된 길을 가고 있음'을 가끔 일깨워주곤 한다. 그들은 내가 잿빛 승복을 입고 절에 가서 금불상 앞에 절을 한다면 죽어 지옥에 갈 것이 뻔하다고 안타까워한다.

하지만 나는 결코 한번도, 한순간도 그렇게 생각한 적이 없다. 오히려 참선수행을 하고 경전을 읽으면서 그 어느 때보다 더 예수님의 가르침에 가까이 다가가고 있다는 느낌을 받고 내 자신이 놀라곤 한다. 나는 매일 열심히 맑은 마음으로 다른 사람을 위해 살겠다고 다짐한다. 결코 나 혼자만의 안일을 위해 살지 않고 다른 사람들이 모두 고통에서 벗어나 행복하게 살게 되기를 빌고 또 빈다. 이런 마음은 내가 교회에 열심히 다녔던 학창 시절에도 가져보지 못했던 마음이었다. 이 얼마나 대단한 일인가.

그러나 지하철에서 내게 안타까운 말을 던지는 그 사람들은 이런 내 마음을 잘 보지 못한다. 나의 마음이 비록 평화롭고 행복하다 하더라도 오직 그들은 내 겉모습에만 관심이 있다. 그들은 자기들과 같은 생각을 가진 사람만 행복하며 그렇지 못한 사람들은 불행하다고 지레 결론을 내려버린다.

나는 그들이 자신들의 삶 속에서 예수의 가르침을 행하지 않고 예수님의 말씀을 자기 식대로 해석하는 사람들이라고 생각한다.

지난 여름 나는 마포에 있는 '법화정사'라는 절에서 일요일 오후마다 강의를 했다.

비가 내리는 어느 여름날 지하철을 탔다. 일요일이었는데도 사람들로 붐볐다.

그런데 어떤 남자가 내가 탄 지하철 칸으로 들어왔다. 그러더니 열차 가운데 서서 뭔가 열심히 소리를 지르며 얘기를 시작했다. 아주 우렁차고 열정적이며 힘이 넘치는 목소리여서 처음에 나는 그가 펜이나 우산을 파는 사람이라고 생각했다.

나는 읽던 책을 마저 읽고 있었다. 그런데 잠시 후 그 남자의 목소리가 가깝게 들렸다. 점점 더 내 곁으로 다가오고 있는 것이 느껴졌다. 그리고는 내 귀에 바짝대고 뭔가 소리를 질러대는 것이다. 처음엔 그 사람 말이 워낙 빨라 제대로 알아들을 수가 없었다.

'아뿔싸, 우산 파는 사람이 아니었구나.'

잠시 후 나는 그가 '예수님'을 파는 사람이라는 것을 알아차렸다. 천천히 들어보니 그는 나에게 이렇게 소리치고 있었다.

"오직 성경만 읽어라. 오직 예수님만 믿어라. 예수님만이 당신을 구원할 수 있다."

나는 처음에 하도 놀라 온몸에 전율이 느껴졌다. 나는 앞으로 일어날 상황에 대비하기 위해 단전으로 숨을 깊게 들이쉬고 내쉬었다를 반복했다. 물론 그전에도 이런 사람들을 지하철이나 버스에서 여러 번 만난 적이 있어 이 사람들이 나에게 무슨 이야기를 할지 대충은 알고 있었지만 이처럼 가까이 와서 소리치는 경우는 없었다. 좀 당혹스러웠다.

그는 나에게 뭔가 계속 얘기를 해댔다. 그의 목소리는 점점 더 커지고 흥분에 가득 찼다.

"조심하라. 사탄들이 권하는 사악한 종교를 믿지 마라."

그는 내 뒤에 똑바로 서서 쉬지 않고 퍼부어댔다. 나는 점점 더 앞으로 밀려나 지하철문 유리창에 안경이 닿을 정도까지 되었다. 나는 결코 그의 얼굴을 쳐다보지 않았다. 그런 일들을 여러 번 겪고 나서 내가 다짐한 것은 그런 사람들과 눈을 마주쳐서는 안 된다는 것이었다. 내가 그들을 똑바로 쳐다보면 그 사람들은 더 화를 낸다.

그런데 그 사람은 나의 무관심에는 아랑곳없이 시간이 갈수록 점점 더 크게 소리를 지르는 것이었다.

"다른 종교를 믿지 마라. 그것들은 악마의 가르침이다. 만약 다른 종교를 믿는 사람들에게 귀를 기울이면 당신은 지옥으로 간다. 오직 예수님만이 당신의 전부다. 온 힘을 다 바쳐 예수를 믿어라. 오직 예수님만이 당신을 구한다. 금불상에 절하지 마라. 금불상에 절하는 사람들을 따르지 마라. 그것은 악마의 길로 빠지는 길이다. 신은 결코 이것을 허락하지 않을 것이다. 우리가 IMF의 고통을 겪고 있는 것도 우리나라에 금불상이 하도 많아 하느님이 우리를 벌주셨기 때문이다. 제발 그렇게 하지 마라. 오직 예수님만이 우리와 우리나라를 구하실 수 있다."

나는 계속 무관심으로 일관했다. 그러면서 사실 좀 미안한 마음이 들기 시작했다. 나는 계속 단전으로 숨을 들이쉬고 내쉬면서 평온하고 편안한 마음을 가지려 노력했다. 내 주위 사람들은 내 마음을 아는지 모르는지 나를 안타까운 듯 바라보고 있었다. 그리고 그의 행동에 대해 뭔가 못마땅하다는 표정들이었다.

그는 계속 내 뒤에서 성경 구절을 인용하고 있었다. 그는 소리치고 있었다.

"성경을 읽으세요! 성경을 읽으세요!"

나는 속으로 약간 웃음이 나왔다. 그리고 마음속으로 이렇게 그에게 말했다.

'저는 이미 어렸을 때부터 성경을 수십 번도 더 읽었는데요. 하버드 신학대학원에서 성경을 따로 공부하기도 했습니다'

내가 이렇게 말하면 그는 이해해줄까. 마침내 그는 내 옆을 떠났다. 그리고는 이내 열차 안에 있는 모든 사람들을 향해 이렇게 소리치기 시작했다. 마치 나를 가리키는 말 같았다.

"한국에 사탄의 종교가 판을 치고 있으니 조심해야 합니다."

이런 경험은 한두 번이 아니기 때문에 내겐 별 특별한 일이 아니다. 더구나 화계사 국제선원 스님들 모두가 겪는 일이다. 이런 종류의 사람들은 미국인이면서 승복을 입은 내가 정작 자기 동포들보다 더 안타까운지 나를 향해 아주 절절한 목소리로 외치곤 한다. 어서 빨리 하느님을 찾아 천당에 가야 한다고 말이다.

그러면서 자기 교회 팸플릿을 내 주머니에 찔러놓기도 하고 자기네 교회에 나와 예배를 꼭 보라고 간곡하게 권하기도 한다. 어떤 사람은 내 팔목을 잡아 끌기까지 하면서 소리를 지른다.

"당신 미국에서 온 것 맞지요. 미국 아저씨. 미국은 예수님 나라입니다. 그런데 당신은 왜 사탄의 가르침을 믿습니까?"

그리고는 아예 나를 손가락으로 가리키면서 지하철에 탄 사람들을 향해 "악마의 말을 전하는 사탄"이라고 소리지르기도 한다.

한번은 한 중년여자가 나에게 오더니 "우리나라는 예수님 나라이니 하루 빨리 한국을 떠나라"고 소리를 치기도 했다. 어떤 사람은 성경만이 진리를 담고 있고 불경은 지옥으로 이끄는 죄의 말이라고 성토한 뒤 일일이 성경 구절을 읽어주기도 했다.

나는 그럴 때마다 그들에게 내가 얼마나 예수님께 감사하고 있으며 예수님 가르침에 따라 살려고 하는지 성경책에서 글귀를 찾아내어 그들에게 알려주고 싶다는 충동에 사로잡힌다. 그런데 한번 시도 했다가 큰 모욕을 당한 적이 있어 아예 무관심으로 일관하는 것이 다. 그들은 내가 무슨 대응이라도 할라치면 '어찌 감히 이런 옷(승 복을 가리키며)을 입고 예수님 말씀을 인용하느냐'고 따졌다. 심지 어 어떤 이들은 나를 따라 내려 내 앞길을 막으며 나와 논쟁을 하려 고 하는 사람도 있다.

그런 말을 들을 때마다 나는 속으로 이렇게 얘기한다.

'하느님의 사랑은 조건 없는 사랑입니다. 내 부모님이 나에게 베 푸셨듯, 전지전능하시고 무한한 사랑을 베푸시는 하느님은 부모님 같은 사랑으로, 아니 더 큰 사랑으로 우리를 사랑하십니다. 우리 인 간이 아무리 못나고 어리석고 약한 존재라 할지라도 하느님의 크신 사랑은 변함이 없습니다. 내가 무엇을 하든지 간에 하느님은 나를 사랑하십니다. 나는 당신이 하느님을 제대로 알고나 있는지 의심스 럽군요.'

한번은 이런 일도 있었다.

지하철 내 옆자리에 아기를 안은 엄마가 앉아 있었다. 그 아기는 눈이 파란 사람을 처음 보았는지 자꾸 내 얼굴을 보고 방실방실 웃 어댔다. (나는 한국의 아기들을 너무 좋아한다. 그렇게 사랑스럽고 귀 여운 아기들을 이 세상 어디에서도 보지 못했다.) 나는 아기가 웃을 때마다 같이 웃어주었다. 그러자 그 아기는 더욱더 활짝 웃으면서 이윽고 그 작은 팔을 죽 뻗어 내 옷(물론 승복)을 만지작거리면서 잡아당기기 시작했다.

그러자 갑자기 아기엄마가 아기의 팔을 확 낚아채더니 말도 아직 제대로 못 알아들을 것 같은 아이에게 이렇게 소리쳤다.

"떼끼, 안 돼. 이 아저씨는 사탄이야. 나쁜 사람이야."

그러더니 아예 자리를 털고 일어나 다른 자리로 옮겨 앉는 게 아닌가. 나는 너무 놀라 가슴이 쿵쿵거렸다.

재미있는 것은 정작 기독교의 종주국이라 할 미국에는 이런 사람들이 거의 없다는 것이다.

내가 비록 한번도 개종했다는 생각을 안 했다 하더라도 그런 사람들 입장에서는 나는 언제나 개종자일 것이다. 그들의 관점에서 보면 나는 참진리의 길을 떠나 잘못된 길로 들어선 사탄일 뿐이다. 그러나 이것은 예수님의 진정한 가르침을 제대로 이해하지 못하는 것이다. 복음을 정확히 이해하고 있는 게 아니다. 그들은 성경에 쓰여진 말 이외에는 그 어떤 것도 사실이 아니며 그 외의 모든 것은 악(惡)의 일이라고 한다.

이것은 진정 예수님의 마음을 모르는 일이다. 예수님은 결코 종교를 만든 적이 없다. 교단을 만든 적도 없다. 제자들 중 네가 옳다, 너만 내 진정한 제자다 하신 적이 없었다.

예수님은 항상 매춘부들과 세리(稅吏)들과 범죄자들과 소외자들과 함께하면서 당시 이스라엘 성직자들에게 '내침'이 아니라 '포용'의 삶과 정신을 증거하셨다.

이 점이 바로 예수님을 위대하게 만드는 대목이다. 그는 모든 위대한 스승들이 그랬던 것처럼 사랑과 자비가 우리 삶에 가장 중요하다는 것을 몸으로 보여주기 위해 이 세상에 나셨다. 하지만 불행히도 그의 위대한 가르침은 아주 좁은 소견을 가진 일부 사람들로 인해 오염되고 있다. 그들은 위대하고 자비로운 지혜의 가르침을 증오의 독트린으로 변질시켰다.

한국에는 예수님의 이 위대한 자비의 마음을 전혀 이해하지 못하는 사람들 때문에 심지어 수많은 절들이 파괴되고 있다. 너무 안타까운 일이다.

절은 단순히 종교적 의식을 행하는 곳만은 아니다. 한국에서 절이란 귀중한 문화적 유산이자 재산이다. 우리들은 기독교인들에 의해 절이 훼손됐다는 뉴스를 접하고 경험할 때마다 어떻게 그런 마음이 이 현대세계에 존재할 수 있는지 기가 막혀한다.

1996년, 내가 묵고 있던 화계사에 세 번이나 불이 났다. 경찰은 기독교인을 범인으로 추정했다. 화계사는 불탄 절을 다시 세우고 개·보수하느라 1억여 원을 들여야 했다. 나를 비롯한 국제선원 스님들은 그 공사 때문에 며칠 밤낮을 매달려야 했다. 일을 하는 우리의 마음속에는 놀람과 안타까움을 넘어 분노까지 일었다.

'이곳은 우리가 사는 집이다. 그런데 어떻게 자기들이 믿는 신념과 우리가 믿는 신념이 다르다고 해서 우리가 사는 집에 그것도 세 번씩이나 불을 지를 수 있다는 말인가. 이것은 결코 예수님의 가르침을 믿고 따르는 행동이 아니다.'

이런 점에서는 한국이 미국보다는 닫힌 나라다.

미국에는 수백 개의 사찰이 있다. 전통적인 기독교의 나라이지만 그 어느 누구도 불교 사찰에 불을 지른다든지 탱화를 훼손한다든지 하는 일은 결코 하지 않는다. 만약 이처럼 다른 문화, 전통에 대한 파괴 행위가 일어난다면 모든 종교 지도자들이 들고 일어나 데모를 할 것이다. 각자가 믿는 종교적 신념이 무엇이건 간에 미국 사람들은 상대방이 신성한 공간이라고 믿는 곳을 공격하고 훼손하는 일은 바로 자기들이 믿는 신성한 공간을 훼손하는 것이나 마찬가지라고 생각한다.

　그런데 유독 한국에서만큼은, 그것도 오랜 불교 전통을 가진 나라에서 불교 사찰에 대한 야만적이고 파괴적인 행위가 계속 일어나니 참으로 안타까운 노릇이다. 나는 종교간의 불신으로 일어난 사건들을 보면서 이런 생각을 해본다. 남남통일이 안 되는데 어떻게 남북통일을 하겠는가. 남북통일을 하려면 남남통일부터 해야 한다. 먼저 가장 가까운 사람끼리 서로에 대해 열린 마음으로 상대방을 인정해줘야 한다.

　그렇게 우리가 분노와 탄식을 쏟아내며 불에 탄 법당을 수리하고 있을 때 우리의 절망을 한꺼번에 씻어준 위대한 분이 나타났다.

　불탄 법당을 쓸고 닦고 정신이 없었는데 이웃 한국신학대학에서 한 교수님이 학생들과 함께 갑작스럽게 화계사를 찾아오신 것이다. 그리고는 흉물이 된 법당을 둘러보시더니 주지스님께 깊은 사죄의 뜻을 전달했다. 신성한 법당에 이런 야만적인 행위가 일어난 것에 대해 같은 기독교인으로서 깊은 사죄를 하신다는 것이었다.

　우리는 너무 놀랐다. 한국에는 온통 닫힌 생각과 행동을 하는 기독교인들만 있는 줄 알았는데 이런 분도 계셨구나. 우리가 아직 한국을 제대로 모르고 있구나.

　그 교수님은 한국신학대학의 김경재 목사님이셨다. 목사님은 함께 온 학생들과 법당을 둘러보셨다. 우리는 너무 기뻤다.

　그날 그 목사님과 학생들의 방문은 당장 수행을 그만두고 한국을 떠나야겠다고 울분에 찬 비애를 터뜨리기도 했던 우리 국제선원 스님들에게 무엇과도 바꿀 수 없는 희망을 보여준 것이었다.

우리는 그때 그 일로 완전히 친구가 되었다. 일주일 후 김 교수님은 그의 화계사 방문이 단지 형식적인 것이 아니라 실질적인 것이었음을 입증하셨다. 주지스님을 다시 찾아오셔서 국제선원 스님 한 분에게 불교 강의를 좀 맡아 달라고 하신 것이다. 비록 한국신학대학과 화계사가 엎드리면 코 닿을 거리에 있었지만 그런 일은 개교 이래 처음 있는 일이었다고 한다.

이건 정말 '사건'이었다.

나는 최근 한국에 이런 열린 사고를 가진 분들이 많다는 사실을 접하면서 얼마나 기쁜지 모른다.

15년 전, 성철 큰스님은 영어로 번역된 법문인 《가야산의 울림》(Echoes from Kaya Mountain)에서 예수님의 가르침에 큰 존경을 표현하셨다.

작년 겨울 남원 실상사에 갔다가 "성탄절을 축하합니다"라는 현수막을 보고 너무 기뻤다. 그런데 올해 부처님 오신 날에는 더 기쁜 일이 있었다. 한국신학대학 총학생회에서 부처님 오신 날을 맞아 '석가탄신일을 경축합니다'라는 대형 현수막을 교문 앞에 걸어놓은 것이다. 참으로 기쁘고 기쁜 일이다.

숭산 큰스님은 이렇게 말씀하셨다.

"기독교에서 전해 내려오는 신비한 얘기들은 불교에서와 마찬가지로 비슷한 방법으로 구전되어오는 것이 많습니다. 하지만 기독교에서 전해 내려오는 이야기들은 신과 인간 사이에 놓인 벽을 허물지 못했습니다. 어떤 이는 '신을 비롯한 모든 것을 다 버려라'라고 합니다. 그런데 버려야 할 신이 있다면 아직 신을 마음에 품고 있다는 것이 아닐까요?

　워싱턴에 살고 있는 성공회 목사님 한 분이 우리와 함께 참선을 하기 위해 종종 젠센터로 오십니다. 나는 그 목사님 초대로 가끔 워싱턴 성당에서 법문을 하곤 했습니다.

　그때 나는 이렇게 말했습니다.

　'당신의 신을 죽일 수 없다면 신을 진정으로 이해하지 못한 겁니다. 진정한 신은 이름도 형태도 없으며 어떤 이야기도 하지 않습니다. 많은 사람들은 자신의 마음속에 자신만의 신을 만들기 때문에 진정한 신을 이해할 수 없는 것입니다. 당신의 신을 죽여야 진정한 신을 이해할 수 있습니다. 그래야 비로소 기독교와 선불교가 하나가 되는 것입니다.'"

스님과 신부님

미국에서 불교가 얼마나 기독교 신자들에게 널리 퍼지고 있으며 요즘 기독교 신자들이 참선을 얼마나 배우려 하는지 내 경험을 들려드리겠다.

나는 1997년 가을 일주일 동안 노스캐롤라이나의 랄레이란 곳에 있는 웨이크 포리스트 대학으로부터 불교 강연을 해달라는 요청을 받았다.

웨이크 포리스트는 미국에서 가장 유명한 침례교 대학이다. 아주 보수적인 곳으로 알려져 있으며 남부 침례교 전통을 잘 따르는 곳으로 유명하다. 신학을 공부하는 사람들에겐 매우 권위 있는 대학이며 매년 수많은 목사들이 그 학교에서 배출된다. 그런 학교가 불교 승려, 그것도 한국 승려를 초청해 불교에 대한 가르침을 받겠다는 것이었다. 그들은 나에게 비행기 표는 물론 호텔방과 식사 제공에 높은 강연료까지 주었다.

한 가지 짚고 넘어갈 것이 있는데 웨이크 포리스트 대학이 위치해 있는 미국 남부는 내가 자라온 북부보다 더 보수적인 지역이다. 남부 사람들은 지금까지도 북부 사람들이 너무 자유분방하다는 일종의 편견을 갖고 있을 정도로 자기들이 기독교적 전통을 아주 잘 따르는 지역 사람들이라는 자부심이 있다. 그리고 그것은 토종 미국인이라는 자부심으로까지 이어져 외국인들이나 외국 문물에 대해서는 좀 까다로운 성향까지 있다.

그런데 그런 대학이 불교 승려를 초청했다는 것은 대단히 획기적인 일이었다. 어쨌든 나는 웨이크 포리스트 대학의 몇몇 강좌에 초청받아 강연을 하기로 했다. 대학 당국은 나에게 참선에 대해 세 번에 걸쳐 워크숍을 해달라고 부탁했다. 그 대학 학장님은 목사이면서 신학대학원의 교수로 재직중인 빌 레너드 씨로 아주 신심 깊은 침례교 신자였다. 빌 학장님은 미국에서 침례교 이론을 가르치는 교수들 중 가장 존경받는 학자로서 나처럼 하버드 신학대학원을 졸업했다.

한편 그 학교 교목(校牧)은 토머스 크리스트만이라는 분이었다. 아주 나이가 많고 빌리 그레이엄 목사만큼이나 유명한 지도자 중 한 사람이었다. 그의 생각과 판단은 미국 침례교 사회에 큰 영향을 미친다.

토머스 목사님은 선교를 위해 전세계 안 가본 곳이 없는 분이다. 빌 학장님과 토머스 목사님은 내 불교 강좌에 학생들보다 더 열심히 참여했다. 수업시간 시작 전에 정확하게 들어와 자리를 잡고 앉아 있었으며 강의가 진행되는 동안 진지하게 내 말을 경청했다. 그리고 실제 참선 실습에 들어가서는 어찌나 열심히 참여하는지 내심 무척 감동을 받았다. 특히 토머스 목사님은 정말 다정다감하고 종교적 신심이 두터우며 따뜻한 분이었다.

참선 실습하던 첫날, 목사님은 "태어나서 처음 참선이라는 것을 해보는 역사적인 날"이라며 어린아이처럼 설레했다. 실습이 끝나고 각자 소감을 말하는데 토머스 목사님은 짐짓 심각한 얼굴로 이렇게 말씀하셨다.

"참선수행을 하기 전에는 목사로서 불교 수행을 한다는 주위의 이목이 약간 신경쓰였는데 실제 참선을 해보니 더 큰 문제가 생겼어요."

나는 깜짝 놀라 무슨 문제인지 여쭈었다.

"아니, 참선하려고 앉아 있기가 이렇게 어려운 줄 몰랐어요. 나는 10분도 앉아 있기가 힘든데 스님께서는 어쩌면 그렇게 30분, 한 시간씩 조금도 움직이지 않고 앉아 계십니까. 정말 놀랍습니다."

학생들과 우리들은 모두 파안대소를 했다.

일주일 동안의 불교 강의와 참선수행 강의가 끝날 무렵 목사님은 내게 참선수행이야말로 목회생활을 하는 데 아주 큰 도움이 되는 것 같다면서 매년 대학 전직원과 교수들이 한꺼번에 특별 수련을 받도록 도와줄 수 없는지 청해왔다.

나는 그 제안에 너무 기뻤다. 하지만 불행히도 청을 받아들일 수가 없었다. 왜냐하면 그때는 이미 동안거를 위해 한국으로 돌아가기로 돼 있었기 때문이었다. 나는 다음 기회로 미뤄 달라며 그의 청을 정중하게 거절했다.

미국에서 수많은 사람들이 불교와 참선수행에 관심을 가지게 되면서 나를 비롯한 많은 스님들은 이처럼 자주 법문 및 참선강의 요청을 받는다. 미국에서 주지로 있을 때 내 법문의 거의 60퍼센트는 교회나 성당에서 이뤄졌다. 어떤 때는 아예 주일날 교회 예배당에 가서 짧은 법문을 하고 오기도 했다.

머리를 깎고 잿빛 승복을 입은 불교 승려가 교회나 성당에서 법문을 하는 일은 미국에서 더이상 이상한 일이 아니다.

내가 주지로 있기도 했었던 프라비던스 젠센터 홍법원 옆에는 아주 큰 교회(The First Unitarian Universalist Church)가 하나 있다. 이 교회는 브라운 대학 근처에 있어서 그 대학 교수와 학생들이 많이 오는 교회다. 로드아일랜드에서는 제일 오래되었고 큰 교회다.

그런데 그 교회 담임인 톰 목사님은 항상 불교 경전 가르침과 참선수행을 정규 과목으로 개설해놓고 있다.

나중에 알게 된 사실이지만 톰 목사님 역시 20여 년을 젠센터에서 참선수행을 해오셨다는 것이 아닌가.

톰 목사님은 신도들 중에서 참선에 관심을 갖고 물어오는 사람이 있으면 아예 프라비던스 젠센터로 찾아가라고 세세하게 약도까지 그려줘 가면서 설명을 한다.

마침 그렇게 해서 젠센터에 온 사람이 하도 목사님 얘기를 하길래, 내가 먼저 톰 목사님께 전화를 해 신도들에게 프라비던스 젠센터를 알려주셔서 감사하다고 말씀드려 우리 두 사람의 인연이 시작됐다. 우리는 서로 교회와 젠센터를 오가며 차를 마시고 좋은 대화를 나눴다.

톰 목사님은 정말 훌륭한 분이다. 매순간 예수님의 가르침에 따라 깨어 있으려고 노력하는 분이며, 신도들을 사랑과 자비로 이끌기 위해 매진하는 분이다. 그리고 아주 열린 마음을 갖고 있어서 부처님의 가르침도 예수님의 가르침처럼 익히고 실천하려고 했다.

어느 날 톰 목사님은 농반진반으로 나에게 이런 이야기를 했다.

"요즘 같으면 내가 도대체 기독교 신자인지 불교 신자인지 구분이 안 갈 때가 있답니다. 교회에 살긴 하지만 매일 불경을 읽고 참선수행을 하고 시간날 때마다 현각스님이나 티벳 승려들을 만나 부처님의 말씀을 얘기하고 심지어 주일날 설교 때도 불법을 전하니 이것 참 어찌된 일인지 모르겠어요. 하하하."

이것이 바로 현재 미국땅에서 일어나는 현실이다.

미국 개신교 교단에서 이처럼 영향력 있는 인사들이 불교에 대해 매우 열린 마음을 갖고 배우려 하고 있고 참선수행도 하고 싶어한다. 심지어 어떤 교회들은 주일날 예배시간에 불교 강의를 하기도 한다.

프라비던스 젠센터의 주지일을 끝내고 한국으로 돌아오기 일주일 전 나는 두 개의 유명한 개신교 교회로부터 법문 초청을 받았다.

이 두 강의 모두 일요 예배시간에 이뤄졌다. 한 교회는 미국 뉴포트에 있는 교회(The First Unitarian Church of Newport)였다. 그곳은 로드아일랜드주 뉴포트시에 위치해 있는데 뉴포트는 미국의 부자가 모여 사는 최상류층 동네다. 록펠러, 밴더빌트, 제이피 모건 기업의 창업자 일가들이 그곳에 살고 있다. 따라서 그 교회에 다니는 신도들도 미국의 최상류층 사람들이다.

또 다른 교회는 매사추세츠주 샤론시에 있는 교회(The First Unitarian Church of Sharon Massachusetts)였다. 이 교회는 보스턴과 가까워서 많은 하버드 동문들이 다니고 있었으며 주로 전문직에 종사하는 인텔리 젊은이들이 다니는 교회다.

두 교회 모두 법문은 아주 성공적이었다. 사람들의 반응이 너무 뜨거워 나도 놀랐을 정도였다. 교회 사람들은 나중에 기회가 되면 꼭 다시 한번 법문을 해달라고 청했다. 그들은 심지어 교회 안에 정규적인 참선 프로그램을 만들겠다며 지도를 부탁하기도 했다.

요즘은 대학교에서 별도의 참선 프로그램이 마련되기도 한다. 내가 하버드 신학대학원에 다니는 동안 대학원에 있는 작은 성당인 앤도버 채플에서는 매일 불교식 참선수행 프로그램이 마련돼 있었다. 일본 스님이 지도를 하셨는데 매일 아침 여섯 시부터 점심시간 이후까지 진행되었다. 그 프로그램에는 시간을 가리지 않고 많은 하버드 교수님들과 학생들이 참석했다.

사람들이 자꾸 늘어나니까 대학원 측에서는 아예 참선 방석도 사고 불교 경전도 갖다놓고 향까지 피워놓아 제법 근사한 법당까지 꾸며놓기에 이르렀다. 동시에 캠퍼스 다른 한켠에서는 하버드 대학원의 메인 강당인 메모리얼 홀에서 불교 강의가 열렸다.

아마 KBS에서 방영한 일요스페셜 〈만행〉을 보신 분들은 뒷부분의 한 장면을 기억하실 것이다. 나의 도반인 폴란드 스님인 현문스님과 내가 기독교 교회에서 참선을 지도하고 있는 장면 말이다.

그곳은 브라운 대학 안에 있는 성당 매닝 채플이었다. 십자가와 마리아상이 있는 성당에서 승복 입고 삭발한 내가 참선을 지도하고 있는 모습이 인상적이었으리라.

이유는 간단하다. 학생들이 참선수행을 하고 싶어도 마땅한 공간이 없기 때문이다. 대부분 큰 대학에는 교회나 성당이 있고 학교 안에서 가장 크고 조용한 공간이 그곳이다.

브라운 대학 학생들은 총장님과 목사님께 예배당을 참선룸으로

써도 되는지 여쭈었고 총장님과 목사님은 허락을 내렸다. 아니, 허락을 넘어서 참선수행이 잘 진행될 수 있도록 항상 세심한 배려를 아끼지 않으셨다. 참선할 때 쓰는 방석, 향, 염불책, 심지어 한국에서 목탁과 죽비까지 수입해주셨을 정도다.

나는 또 뉴욕에 있는 컬럼비아 대학 옆 연합 신학대학원 강좌에 자주 초청돼 법문을 하고 참선수행을 지도하기도 했다. 이미 한국인 비구니이자 숭산스님 제자이신 묘지스님이 매주 한 번씩 아침에 그 학교에서 참선을 지도하고 계셨다. 그 아이디어는 그 대학원의 젊은 여자 신학교수이자 한국인인 정현경 박사가 낸 것이었다. 그녀는 대학원에서 신학을 가르치고 있으며 미국 학생들이 아주 존경하는 교수들 중 한 사람이었다.

프라비던스 젠센터에서는 카톨릭 신자와 불교 신자들이 아예 함께 선방에 앉아 참선수행을 한다.

그 프로그램은 대광스님과 케빈 훈트 신부님이 함께 주도를 하신다. 많은 사람들이 이 수행에 너무 참여하고 싶어해 자리가 모자랄 지경이다. 어떤 때는 뉴잉글랜드 지역 신부님들이 대거 참여하기도 한다.

대광스님은 미국은 물론 한국의 수덕사, 신원사, 화계사에서 수년 동안 참선수행을 하신 분이다. 그는 네브라스카의 장로교 집안에서 태어난 독실한 기독교 신자였다. 부모님들은 장차 대광스님이 목사가 됐으면 하고 바랐었다고 한다.

그는 대학 졸업 후에도 전공인 사회학 공부를 계속해 교수가 되었다. 그러다 1979년 숭산 큰스님을 만나 아예 머리를 깎고 스님이 된 것이다.

케빈 훈트 신부님은 25년 동안이나 참선수행을 해오신 분이다. 대광스님보다도 더 오래됐다. 신부님은 수행에 참여한 사람들에게 자신의 경험을 들려주시곤 하는데 특히 카톨릭 신자들에게 큰 도움이 된다.

대광스님과 케빈 훈트 신부님은 법문도 함께 하시고 불교의 참선수행과 기독교적 믿음에 관한 사람들의 질문에 함께 답한다. 이 수행 프로그램은 금세 유명해져서 이제 대광스님과 케빈 훈트 신부님은 케임브리지 젠센터와 시카고 젠센터 등에서도 참선지도를 하고 계신다.

사랑과 자비는 하나

1985년 초 숭산스님은 미국에 있는 한 카톨릭 수도원으로부터 법문과 함께 참선수행을 지도해 달라는 초청을 받았다. 그 수도원은 켄터키주에 있는 겟세마니 수도원으로 미국 카톨릭 교단 안에서 가장 오래된 전통을 가진 곳이다. 아마 천주교 신자분들은 그 이름을 익히 다 아실 것이다.

겟세마니 수도원은 그 유명한 토머스 머튼수사가 생애 대부분을 보낸 곳이다. 토머스 머튼은 미국 지성사에서 아주 중요한 인물이다. 그의 자서전은 지금까지 필독서로 불릴 정도로 스테디 셀러다. 머튼 수사는 컬럼비아 대학을 졸업하고 수도사가 되었으며 겟세마니 수도원에서 청춘의 대부분을 보냈다. 그러다 중년에 접어든 1950년대 초반 장자를 비롯한 동양사상에 관심을 갖기 시작하면서 불교를 접하게 되었다. 많은 불교 경전을 읽으면서 수도원 안에서 혼자 참선수행을 하기 시작했다.

참선에 심취한 머튼 수사는 나중에 불교와 참선에 대한 책을 쓰기까지 했다. 당시 그는 카톨릭 교단에서 아주 존경받는 수도사이자 미국 지식인들 중 영향력 있는 인사의 한 사람이었기 때문에 그의 동양사상과 불교에 대한 관심은 많은 사람들로부터 호기심을 불러일으켰다.

1950년대는 철학자, 문인 등 미국 지성인들이 본격적으로 동양사상에 관심을 가지기 시작한 시기다. 그전부터 작은 파문을 던지며 미국 지식인 사회에 물결을 만들었던 불교가 비로소 파도처럼 폭발하는 시기라고나 할까.

머튼 수사는 그 파도의 한가운데 서 있었던 분이다. 벌써 그때부터 동양의 선사들은 물론 달라이 라마와도 편지 교류를 했다. 수도사들은 평생 수도원 안에서 살아야 한다. 그럼에도 점점 불교와 참선수행에 몰두한 그는 마침내 수도원장님께 동양을 여행해보고 싶다며 몇 년 동안 수도원을 떠나 있겠다고 청한다. 오랜 숙고 끝에 원장님은 마침내 허락을 내리고, 그는 생애 처음으로 동양 구경을 하게 된다.

그는 먼저 인도로 가 달라이 라마와 조우했다. 두 사람은 '형제'처럼 보일 정도로 아주 좋은 친구 사이였다. 머튼 수사는 인도 여행을 마치고 일본으로 건너갔고 아시아 이곳저곳을 여행했다.

그런데 1969년 대만을 여행하는 도중 갑자기 심장마비로 죽었다. 지금까지도 그의 사인은 정확하게 알려지지 않았다. 그의 죽음이 하도 갑작스럽다 보니 사인을 두고 말들이 많았다.

그가 세상을 뜰 당시는 베트남 전쟁의 절정기였는데 머튼 수사는 해외를 돌아다니며 미국의 베트남전 개입을 강하게 비판했다. 그는 존경받는 지성인이었기 때문에 그의 한마디 한마디는 아주 영향력이 높았다. 그래서 미국 사람들은 그의 견해를 싫어하는 누군가가 그를 죽인 것이 아닌가 하는 의문을 아직까지 갖고 있다.

어쨌든 머튼 수사는 미국에 불교가 뿌리내리는 데, 특히 카톨릭·기독교 신자들이 불교에 관심을 갖게 하는 데 결정적인 공헌을 한 인물이다.

그가 비명횡사한 후 겟세마니 수도원에는 새 원장이 취임하는데 그는 수도사들에게 불교 공부를 일절 금지시켰다. 당시 머튼 수사의 영향으로 수도원에는 부처님의 가르침을 접한 젊은 수도사들이 많이 있었는데 그들에게 공부를 하지 못하도록 막은 것이다.

수도사들은 하는 수 없이 잠시 불교 공부를 접고 있다가 1984년 새 원장이 취임하자 이때가 기회다 싶어 원장에게 불교 공부를 하고 싶다고 청했다. 그러면서 외출이 자유롭지 못하니 세계적으로 유명한 불교의 선사들을 초청해 참선수행을 하는 프로그램을 만드는 것이 어떠냐고 제안했다. 겟세마니 수도사들은 미국에서도 매우 유명하고 수행을 열심히 하는 훌륭한 수도사들이다.

그 유명한 머튼 수사의 똑똑한 후예들이 참선수행을 하겠다며 고른 불교 선사가 바로 숭산 큰스님이다. 당시에는 미국에 불교가 본격적으로 뿌리를 내린 뒤라 일본의 유명한 선사도 많고 티벳의 고승들도 많았는데 이들 모두를 제치고 바로 한국인인 숭산 큰스님을 초청한 것이다. 이것은 아주 역사적인 일이었다.

1984년부터 6년 동안 그들은 매년 일주일간 큰스님을 초청해 법문도 듣고 공안인터뷰도 하고 참선수행도 했다. 큰스님은 참선수행 때 수도사들에게 '하느님은 어디서 오시는가' '하느님과 우리의 마음은 같은가 다른가' 하는 화두를 주셨다.

　더욱 특기할 만한 일은 큰스님께서 수도사들과 함께 성당 미사를 같이 올리기도 했다는 것이다. 이것은 미국 카톨릭 역사에서 엄청난 일이 아닐 수 없다.

　1991년 8월 겟세마니 수도원의 벤자민 수사님은 숭산 큰스님에 대한 수필을 하나 써서 발표했는데 큰스님의 가르침에 대한 존경심과 고마움이 곳곳에 배어 있다.

　독자 여러분에게 소개하면 좋을 듯해 여기에 옮겨 적는다.

　이제 몇 시간 후면 숭산 대선사님께서 이곳 겟세마니 수도원에 오신다.

　우리 수도사들은 선사님을 맞을 준비에 바쁘다. 그렇다고 해서 뭐 특별한 준비를 하는 것은 아니다. 방에 있는 의자와 책상 가구들을 모두 치우고 참선할 때 쓰기 위한 큰 방석을 갖다놓는 게 가장 큰 일이다.

　지금 이곳에는 선사님을 뵙기 위해 미국 전역 수도원에서 온 수도사들, 겟세마니 인근 은둔지에서 수행하는 사람들, 멀리 테네시와 플로리다에서 온 참선수행자들, 그리고 캐나다에서 온 한국인들까지 모여들어 조용하던 수도원이 모처럼 시끌벅적하다.

　대선사님이 이곳 수도원에 매년 이렇게 오셔서 참선 지도를 해주신 게 벌써 5년째다.

　그의 방문은 항상 맑은 통찰력을 얻기 위한 도전과 그것을 얻고 나서 얻는 기쁨의 절묘한 결합 그 자체다.

　왜? 그는 왜 이곳에 오는가?

왜 카톨릭 수사인 우리가 불교 승려인 그의 설법에 참여하며 몇 시간씩 앉아 참선수행을 하고 생전 처음 듣는 공안문답과의 처절한 투쟁을 하는가? 왜 우리는 매년 지금 이 자리, 이 시간으로 다시 돌아오는가?

대선사님을 처음 뵙던 날 나는 이렇게 여쭈었다.

"왜 선사님은 이곳에 오셨습니까?"

머릿속에 온갖 복잡한 생각으로 가득했던 나에게 그의 대답은 정말 걸작이었다.

"하하하. 당신들이 내가 있는 곳으로 올 수 없기 때문이지요. 당신들은 수도사이므로 수도원을 떠날 수 없으니 내 젠센터에 오실 수가 없잖아요. 그러니 당신들이 오는 것보다 내가 오는 게 쉽지요. 안 그래요? 하하하."

이 간결함, 이 단순함, 이 진실함. 바로 이것이 우리가 살아가는 방식인 것을. 우리 수도사들의 생활이야말로 진실함과 간결함 그 자체가 아닌가.

그날 첫 참선수행이 끝나고 묵으실 숙소로 안내하면서 나는 대선사님께 "수도원 수사들과 처음 생활하셔서 약간 불편하실지도 모르겠다"고 걱정했다.

그러나 대선사님께서는 "우리 스님들 생활이나 마찬가지겠지요. 새벽에 일어나 찬송을 부르고 경전을 읽고 밥을 먹은 뒤 묵언하고 그리고 일하는 생활 아니겠어요? 우리 스님들은 머리를 깎고 이렇게 잿빛 승복을 입는 대신에 수사님들은 긴 예복을 입고 있고…… 겉은 달라도 같은 길을 걷고 있지 않습니까?" 하고 답하셨다.

새길수록 훌륭한 말씀이다.

4세기경 기독교 신앙을 견결히 다지기 위한 정신 무장운동이 ㅆ
었다. 그들은 이집트 사막으로 가 혹독한 수행을 했다. 그들의 경험
과 지혜는 시편이나 회고담 형태로 전해 내려와 우리들에게 아주
중요한 가르침을 주고 있다. 토머스 머튼 수사가 쓴《사막의 지혜》
(The Wisdom of Desert)라는 책에는 이런 대목이 나온다.

"어느 날 대수도원장 마크는 또 다른 대수도원장 아르세니우스에
게 이렇게 말했다.

'무소유의 삶이란 바로 우리가 가장 지향해야 할 삶이지요. 우리
수도원이 아무것도 가진 것이 없을 때 우리는 그때 비로소 기쁨을
느끼지 않을까요. 우리 수도원의 한 수사님은 자기 방 앞에 싹을 내
어 핀 야생화를 보고 야생화 뿌리까지 뽑아냈습니다.'

그러자 아르세니우스는 이렇게 응대했다.

'글쎄요, 제 생각엔 모든 사람들은 각자 자신의 영적인 방식대로
수행해야 한다고 생각합니다. 만일 어떤 사람이 꽃이 없이 살 수 없
다면 무소유라고 해서 야생화를 꺾어버릴 수는 없겠지요.'"

대선사님께서 쓰신 영어법문집《세계일화》(The Whole World is
a Single Flower)야말로 우리 수도원 골방에서 그리고 전세계에서
싹을 피우고 있는 야생화가 아닐까. 우리가 이 꽃 없이 살아갈 수
있을까.

대선사님께서는 내 방에 들르셔서 내 책상 앞에 싹을 틔우고 있
는 당신의 저서《세계일화》를 발견하시고 아주 기뻐하셨다. 대선사
님은 내 수도생활에 한 송이 야생화 꽃을 피우기 위한 씨를 뿌리셨
으며 이제 그 꽃은 아주 잘 자라고 있다.

대선사님은 우리와 함께 새벽에 일어나 찬송하고 미사를 드리고

ⓒ김홍희

하는 모든 일에 함께 참여하셨다.

만약 여러분이 대선사님께 왜 불교 수행자가 그런 행동을 하느냐고 묻는다면 아마 대선사님은 이렇게 대답하실 것이다.

"따지지 말고 집착하지 말고 그저 노래하십시오. 기도하십시오."

대선사님의 가르침은 새로운 게 아니다. 사막의 수도사가 발견한 꽃이 새로운 것이 아니듯이 말이다.

가르침은 항상 우리 주변에 널려 있으며 우리 마음 안에 있다.

매일 우리는 찬송하고 일하고 음식 준비하고 마룻바닥을 닦으면서 진리와 만나는 것이다.

그리고 다른 사람을 돕는 것이다. 예수님께서는 목마른 사람들에게 물을 주기 위해 내가 마실 물을 기꺼이 포기하는 것이 수사들의 일이라고 하셨지 않은가.

대선사님, 여기서 얘기하는 '나'란 도대체 누구입니까!

대선사님, 고맙습니다.

수도사들 중에는 참선수행을 열심히 해 불교 선사로부터 법을 전해 받은 사람도 있다. 미국 예수회 신부인 요셉 케네디는 일본 선사 밑에서 참선수행을 열심히 해 몇 년 전 '선사'가 되었다. 그렇다고 그가 수도사복을 벗은 게 아니었다. 그는 현재 신부님과 수녀님들에게 불교 경전을 가르치면서 참선수행을 지도하고 있다.

한국에도 최근 참선수행을 열심히 하는 신부님과 수녀님을 만날 수가 있다. 어떤 수녀님들은 기도의 일환으로 절(108배, 1천80배, 3천 배)수행을 하기도 한다. 몇 년 전에는 몇몇 한국의 카톨릭 수녀님과 이태리 수녀님들이 계룡산 신원사와 서울 화계사 국제선원에서 동안거와 하안거에 참여하시기도 했다. 그때만큼은 수녀복을 벗고 말이다. 진리를 찾기 위해 과감한 용기를 갖고 도전하시는 수녀님들의 모습에 우리 스님들은 큰 감동을 받는다. 때때로 한국의 동안거·하안거에 스페인, 영국, 독일의 카톨릭 신부님들도 참여한다.

내가 이런 이야기를 소개하는 이유는 불교가 다른 종교보다 낫다거나 위대하다고 강조하기 위함이 '절대' 아니다. 기독교 신자들이나 카톨릭 신자들이 요즘 자신들이 갖고 있는 종교적 신념을 '버리고' 있다는 것을 강조하기 위한 것도 '절대' 아니다.

다만 우리 모두 종교를 넘어 참선수행을 통해 신앙의 질을 높일 수 있고 자기가 믿는 신념에 보다 더 가까이 갈 수 있다는 것을 이야기하고 싶을 따름이며 이미 수많은 사람들이 그것을 시도하고 있다.

베네딕토 카톨릭 수도원의 수녀로서 '국제 수도사회' 총무를 맡고 있기도 한 메리 마가렛 펑크 수녀는 1997년 10월 〈타임〉지 인터뷰에서 "미국 불교도들은 교회나 성당 같은 구조적 도움 없이도 각자 개개인이 자신이 딛고 있는 현장에서 하루하루 매순간 순간 영적인 생활을 하려고 노력하고 있다. 이런 점은 우리 모두가 배워야 할 점"이라며 "이같은 점에서 참선수행은 어느 종교인에게도 유익할 것이다"라고 말했다. 즉 참선수행은 종교간에 대립이나 갈등을 야기하는 것이 아니라 모든 종교를 있는 그대로 더욱 깊게 한다는 것이다.

만약 우리가 사물의 겉모습만을 보고 판단한다면 진정한 내면의 진리는 잃어버린다. 내면의 진리란 모든 종교를 뛰어넘는 것이다.

예수 그리스도는 진정 위대한 분이다. 당신 자신을 버린 사랑과 자비로 헌신하신 진정한 인간이다. 그는 겨우 33년을 살았을 뿐인데 지금까지 인간의 역사는 그의 가르침 안에서 발전되어왔다. 나는 모든 사람들이 그의 가르침을 배우고 사랑과 자비로 가득한 삶을 살아야 한다고 생각한다. 그는 부처님과 함께 이 세상에 나타난 가장 위대한 인간이다. 예수님은 나를 길러준 분이다. 지금도 나는 매일매일 그의 가르침 안에서 살고 있다. 그의 가르침은 이렇게 내가 스님이 될 수 있도록 인도했으며 이렇게 하루하루 열심히 나 자신과 다른 사람을 위해 살게 만들었다. 예수님만 생각하면 힘이 솟는다.

그리고 또 한 사람의 위대한 인간이 있다. 나는 예수 그리스도를 존경하는 것만큼 그에게 경의를 표한다. 다름 아닌 석가모니 부처님이다. 전세계 수많은 사람들이 이 석가모니 부처님의 가르침을 배우고 숭배하고 그것을 생활에서 녹여내기 위해 수행하고 있다.

나는 기독교의 목표가 다른 종교와 싸워서 독자적인 교단을 만드는 데 있지 않다고 본다.

"가장 하찮고 신분이 낮은 사람에게 하는 행동이 바로 나에게 하는 행동이다."

예수님은 이렇게 말씀하셨다.

예일 대학과 하버드 신학대학원에 다닐 때 나는 교수님들로부터 예수님의 많은 제자들이 예수님 사후 그의 가르침을 글로 옮기는 과정에서 자기들끼리 교단을 만들거나 기존 교단에서 분리하기 위해 새로운 사실을 첨가하거나 지나치게 강조했다는 것을 배운 적이 있다.

예수님의 행동과 말씀은 언제나 넓은 길, 위대한 길, 그리고 열린 길이다. 하느님의 말씀은 예수님의 말씀과 행동에서 표현된 것이다.

그것은 다른 게 아니다. 노래하는 새소리와 산에서 흘러내리는 물소리로 표현되는 것이다. 얼굴에 스치는 바람, 밖에 지나가는 자동차 소리 모두 하느님의 말씀이며 예수님의 말씀이며 부처님의 말씀이다.

하느님의 사랑이 왜 부처님의 대자대비심과 다르다고 생각하는가? 만약 여러분이 좁은 마음을 가지고 있다면 이 말을 이해하지 못한다. 하지만 넓은 마음을 갖고 있으면 그리고 진정으로 예수님이 우리에게 보여주신 것을 얻겠다는 마음가짐이라면 여러분은 부처님의 가르침 역시 사랑과 자비로 이끄는 가르침이라는 것을 알게 될 것이다. 부처님과 예수님이 가르치신 사랑과 자비가 결국 하나라는 것을 알게 될 것이다.

과학적이기 때문에

불교가 서양인, 특히 지식인들에게 폭발적인 인기를 끄는 이유를 한마디로 얘기하라고 하면 '과학적이기 때문'이라고 말할 수 있다.

금세기의 위대한 과학자 알버트 아인슈타인이 생전에 불교 교리에 대해 여러 번 언급했던 적이 있다는 것을 아는 사람들은 많지 않을 것이다.

그는 과학자였기 때문에 어떤 특정한 종교를 갖고 있었던 사람은 아니었지만 불교야말로 어떤 경지보다 높은 단계에 있다고 말했다.

"미래의 종교는 우주적 종교가 돼야 한다. 그동안 종교는 자연세계를 부정해왔다. 모두 절대자가 만든 것이라고만 해왔다. 그러나 앞으로의 종교는 자연세계와 영적인 세계를 똑같이 존중한다는 생각에 기반을 둬야 한다. 자연세계와 영적인 부분의 통합이야말로 진정한 통합이기 때문이다. 나는 불교야말로 이러한 내 생각과 부합한다고 본다. 만약 누군가 나에게 현대의 과학적 요구에 상응하는 종교를 꼽으라고 한다면 그것은 '불교'라고 말하고 싶다.'

불교는 물론 과학은 아니다. 불교는 인간의 동정심, 착한 마음 등 인간의 지혜에 대한 가르침에 더 큰 중점을 두지만 그 기본 교리는 과학적 논리성과 정합성에 맥이 닿아 있다.

현대인들은 '종교는 죽었다'고 말한다.

속도와 테크놀러지가 지배하는 현대사회에서, 그리고 인간복제까지 논의되는 마당에 종교는 고리타분한 이야기가 될지도 모른다. 신과 진리를 숭배하기에는 이 세상에 숭배할 것들이 너무 많아졌다. 물론 과학기술의 발전이 나쁘다는 이야기가 아니다. 그것이 가져다 준 인간생활의 획기적 변화는 아무리 강조해도 지나치지 않다.

그러나 테크놀러지와 과학에는 '영혼'이 빠져 있다.

한번 상상해보자. 이 세계를 모두 과학과 테크놀러지로만 가득 채우게 될 때, 과연 우리의 삶은 어떻게 될까. 워크맨, 노트북 컴퓨터, 게임기, 호출기, 휴대폰으로 무장(?)하고 서울 명동과 신촌, 압구정동, 신사동을 걷고 있는 수많은 젊은이들을 살펴보자. 그들은 그 안에서 철저히 자기만의 공간을 향유하고 있는 것처럼 보이지만 그렇다고 해서 그들의 삶이 이전 부모 세대들의 삶보다 발전되고 행복해졌는가? 어쩌면 부모 세대들보다 더 큰 소외와 외로움을 느끼고 있을지도 모른다.

과학의 발전으로 우리는 유익한 생활도구를 얻고 보다 편리한 삶을 추구하게 되었지만 그것만으로는 뭔가 채워지지 않는 것이 있다.

프랑스의 위대한 철학자 장 프랑수와 르벨은 "과학은 행복을 추구하고 있는 우리들 각자의 '마음'에 닿는 이야기는 해주지 않는다"고 했다.

내 생각에는 여기서 한 걸음 더 나아가 과학이 인간의 의문들에 대해 해답을 주지 않을 뿐만 아니라 오히려 우리를 더욱 냉정하게 하고 서로를 더 소외시키고 있는 것 같다.

과학이야말로 우리가 당면한 모든 문제를 해결해줄 도깨비 방망이라고 믿는다면 그것은 큰 오산이다. 이미 과학에 대한 맹신이 빚은 뒤틀림 현상은 세계 곳곳, 특히 서구사회에서 속속 나타나고 있다.

서구의 역사는 과학 발전의 역사다. 좀더 나은 것, 좀더 편리한 것, 좀더 빠른 것을 위해 오직 앞으로 나아갔다. 끝도 없는 전진을 하다 어느 순간 '왜? 무엇을 위해?'라는 질문 앞에 당혹스러워하고 있는 것이다.

과학은 선도 악도 아니다. 그리고 과학이 우리 삶의 행복을 보장하는 어떤 방향을 제시해주는 것은 더더욱 아니다. 과학은 그저 밥 먹을 때 쓰는 젓가락이나 숟가락, 혹은 자동차 같은 '도구'일 뿐이다.

과학을 제대로 이해하고 과학이 주는 유익성과 해악성을 분명하게 알기 위해서는 우선 과학을 사용하는 '우리 자신'에 대해 제대로 알아야 한다. 우리가 만일 진정한 우리의 실체를 알 수 없다면 그 어떤 것도 우리를 도울 수 없다. 우리 자신을 제대로 이해할 때 참된 자유를 얻게 되는 것이며 그리고 그 자유를 나와 더불어 살고 있는 다른 사람을 위해 어떻게 사용해야 하는지 해답이 나오는 것이다.

최근 하버드 대학에서 열린 학술회의에서 저명한 과학자 한 분이 재미있는 견해를 발표했다. 그는 불교신자가 아니지만 이 회의에서 이렇게 말했다.

"만약 많은 사람들이 불교의 교리를 실천에 옮긴다면 현재 이 세계가 당면한 수많은 문제들, 예를 들어 환경파괴, 희귀동물의 멸종, 쓰레기 처리, 폭력문제, 종족간 전쟁, 과잉 인구문제, 묘지 증가에 따른 토지 낭비 등을 해결할 수 있으리라 본다. 불교의 인과론, 일체 중생이론 등은 이 모든 문제를 해결할 수 있는 직접적인 실마리를 제공하고 있다."

불교는 과학보다 좀더 근본적인 질문을 많이 한다. '마음은 무엇인가' '생각이란 무엇인가'……. 그러나 마음과 생각의 실체를 표현하는 단어나 말을 찾아내기는 어렵다. 오직 수행을 통한 경험으로 찾을 수 있다.

불교의 가르침은 모든 물질의 근원점을 모색해도 실체 자체의 성격을 탐구한다는 점에서 과학과 닿아 있다. 거기에 인간의 영혼이 불어넣어져 비로소 방향을 찾게 되는 것이다.

여기에 숭산 큰스님이 불교와 과학에 대해 하신 말씀을 적어본다. 이 글은 최근 〈물병자리〉 출판사에서 번역되어 나온 큰스님의 편지글인 《오직 모를 뿐》(Only Don't Know)에 수록되어 있다.

어느 날, 한 제자가 큰스님께 이렇게 물었다.

"저는 과학자입니다. 그런데 스님의 말씀을 듣는 동안 과학 연구와 참선 사이에 갈등이 생기는군요. 과학자들은 영속적이고 반복이 가능하며 의사 전달이 가능한 경험을 토대로 세계관을 만들기 위해 노력하고 있습니다. 스님께서는 우리가 생각을 끊어야 한다고 하시지만 과학자들이 만드는 세계관이란 어차피 개념적일 수밖에 없습니다. 물리적으로 인과관계가 뚜렷해야 합니다. 어떻게 하면 과학자들이 갖고 있는 고도로 이론적인 세계관과 참선의 관점을 하나로 절충할 수 있습니까?"

큰스님은 이렇게 말씀하셨다.

"제가 고등학생이었을 때 과학을 공부하면서 의문이 많았습니다. 선생님은 이 우주가 115가지 원소로 생성되었다고 하셨는데 도대체 그 115가지 원소는 어디서 왔을까. 선생님께 여쭈었더니 그것은 무극(無極)에서 비롯되었다고 하셨습니다. 무극이란 끝이 없어 텅 빈 상태입니다. 나는 선생님께 다시 여쭈었습니다. 무극을 어떻게 볼 수 있을까요?

선생님은 무지개를 예로 들어 설명하셨습니다.

'햇빛은 아무 색도 가지고 있지 않지만 물방울과 접촉해 무지개를 만든다, 만일 1백 명의 사람들이 무지개를 보았다면 1백 개의 무지개가 있는 것이요, 아무도 그것을 보지 못했다면 무지개는 없는 것이다. 네가 무지개를 보고 있다면 네 앞에 무지개가 있는 것이다.'

이어 선생님은 갖가지 색이 배열된 회전판 하나를 가지고 오신 뒤 원판을 돌리셨습니다. 원판에는 아무 색도 보이지 않았지만 원판이 멈추자 많은 색이 보였습니다.

바로 '색즉시공 공즉시색'(色卽是空 空卽是色)인 것입니다.

이 세상 만물도 이와 같습니다. 모든 것이 공에서 생겨나 공으로 돌아갑니다.

초보 수준의 과학자라면 1+2=3 수준에 멈춥니다. 여기서 한 단계 더 나아간 과학자라면 1+2=0이라는 것을 이해할 것입니다. 바로 이 단계가 색즉시공 공즉시색의 단계이지요.

그러나 좀더 나아가고 싶은 사람들이라면 '1, 2, 3과 0은 누가 만드는가? 누가 색과 공을 만드는가?' 하는 의문을 갖게 됩니다.

수(數)라든지, 색이라든지, 공이라든지 하는 것은 모두 개념입니다. 그리고 개념은 바로 우리의 생각이 만들어낸 것입니다. 데카르트는 "나는 생각한다, 고로 나는 존재한다"고 했습니다. 그러니 우리가 생각하지 않으면, 생각이 있기 전엔 너도, 나도, 색도, 공도 없습니다. 생각이 있기 전에는 모든 것이 진공(眞空) 속에 있는 그대로 있을 따름입니다. 색은 색이요, 공은 공입니다.

우리의 인식 체계는 컴퓨터와 같습니다. 컴퓨터는 스스로 움직이지 못합니다. 우리의 인식 또한 '무언가'가 조종하는 것입니다. 우리는 그러한 인식을 바탕으로 과학이라는 학문 체계를 세웠습니다. 그 '무언가'가 우리의 인식을 조종하고 과학을 조종하는 것입니다.

바로 이 '무언가'를 찾는 것이 선(禪)입니다.

하나 묻겠습니다.

1+2=3과 1+2=0 중에 어느 것이 맞습니까.

만일 이 질문을 이해할 수 없다면 '오직 모르는' 마음으로 돌아가십시오. 많은 말을 할 필요는 없습니다. 자신이 이해하고 있는가도 확인하지 마십시오. 억지로 인식하려고 하지도 마십시오.

어떤 것도 억지로 만들려 하지 말고 올바른 인식과 올바른 과학을 터득해 생사윤회를 뛰어넘어 중생을 번뇌에서 제도하시기 바랍니다.

숭산 큰스님

숭산 행원 큰스님은 1927년 평안남도 순천에서 장로교 계통의 기독교 가정에서 태어났다. 아버지의 직업은 건축가였다. 넓은 과수원을 소유하고 있어서, 마을에서는 손꼽히는 부자였다. 큰스님은 평양에서 중학교를 다녔는데, 특히 과학과 엔지니어링 분야에 재주가 많았다고 한다. 당시는 일본 식민지 상태였던 데다 태평양전쟁을 일으킨 일본이 전쟁에서 승리하기 위해 총력전으로 매진하던 시기였기 때문에, 한국민에 대한 통치와 억압정책도 한층 강화되고 있었다. 대부분 학교 선생님들은 일본인이었고 모든 수업은 일본어로 진행되었다. 일본 어린이들은 한국 어린이들보다 모든 면에서 특별대우를 받았다.

1944년 큰스님은 지하 독립운동 단체에 가입한다. 거기서 일본 군대들의 움직임을 파악하기 위하여 단파 라디오를 만드는 놀라운 솜씨를 발휘하기도 하였다. 그러기를 채 몇 달도 되지 않아 일본 헌

병대에 붙잡히는 신세가 되었다.

감옥에서 풀려난 이후에도 독립운동을 하겠다는 의지는 꺾이지 않았다. 마침내 두 명의 친구들과 함께 집에서 돈 5백 원을 훔쳐내어 경계가 삼엄한 국경을 넘어 만주에서 독립군과 합류하려고 했다. 그러나 만주 국경선 지대를 물샐 틈 없이 감시하던 순찰대에게 들키고 말아 성공하지 못했다.

1945년 제2차 세계대전의 종료와 함께 해방을 맞았다.

큰스님은 공부를 해야겠다는 생각에 서울로 와 동국대학교에 입학하였다. 그런데 당시 위도 38도를 기준으로 한반도의 북쪽은 소련이, 남쪽은 미국 연합군이 점령하게 되어 남한과 북한 사이의 모든 의사 소통과 왕래가 어렵게 되어버린다. 그리고 6 · 25로 분단이 영구화되면서 큰스님도 북한에 계시던 부모님과의 연락이 두절되어 다시는 부모님을 뵐 수 없게 되었다.

대학 시절은 그에게 격변과 방황의 시기였으며, 한편으로는 그의 민족과 조국을 위하여 그가 해야 할 일이 무엇인지에 대하여 끊임없이 고민했던 시기였다.

소년 시절 그는 일본에 저항하는 활동에 동참했었다. 당시에는 대항해야 할 적이 분명하게 정해져 있었다.

그러나 해방 이후에는 모든 상황이 불분명하고 유동적으로 변했다. 남한의 공산주의 당원들은 학생들을 선동하여 당시 남한의 이승만 정권을 전복하려고 시도하였으며, 남북한 모두를 공산주의 체제로 만들기 위해 혈안이 되어 있었다. 결국 남북한은 갈등이 격화되어 동족간에 6 · 25라는 전쟁을 치르게 되었다. 큰스님은 이같은 격동의 현장을 지나오면서 정치적인 활동이나 학문적인 연구가 조국을 위하는 길이 될 수 없음을 깨달았다. 고민이 생길 때마다 책을 파고들었지만 어디에도 해답은 없었다. 마침 그때 친구 한 사람이 《금강경》 한 권을 선물해주었다. 큰스님은 그 책을 읽다가 "이 세상에 나타나는 모든 것은 곧 지나가는 것이다. 만일 지나가는 모든 것들로부터 눈에 보이지 않는 영원한 것을 발견해낼 수 있다면 그때 진정한 당신 자신을 발견하게 될 것이다"라는 구절을 읽게 되었다. 이 구절을 읽는 순간 큰스님은 마음으로부터 모든 혼란과 갈등을 씻어낼 방도를 드디어 찾았다는 생각이 들었다. 불교 경전을 닥치는 대로 읽었다. 그리고 스님이 되겠다는 결심을 한다. 진리를 얻기 전에는 다시 돌아오지 않을 것을 맹세하고 머리를 깎고 산으로 들어간다.

큰스님은 1948년 10월 마곡사라는 절에서 계를 받았다. 오직 필요한 것은 수행뿐이라는 생각에 가득 찼던 큰스님은 계를 받은 지 10일 뒤에 깊은 산속으로 들어가 원각산 부용암이란 곳에서 1백 일 동안의 은둔 수련을 하였다. 그는 하루에 20시간 동안 "신묘장구 대다라니"를 암송하고 식사로는 솔잎가루만을 먹으며 지냈다.

밤 아홉 시부터 열한 시까지, 새벽 세 시부터 다섯 시까지 하루 두 차례에 걸쳐 두 시간씩 모두 네 시간만 자면서 혹독하게 수행했다. 때로는 얼음물에 알몸으로 들어가 몇 시간씩 견디면서 배고픔과 잠의 유혹을 극복하려고 했다.

그런데 곧 의심과 번민이 엄습해왔다.

내가 지금 왜 이러고 있는가? 왜 이렇게 극단적인 방식으로 수행하는가? 지금이라도 조용한 마을의 작은 절로 내려가서 일본 승려들처럼 결혼도 하고 행복한 가정생활을 할 수도 있는 것 아닌가? 하는 생각도 들었다. 짐을 쌌다 풀었다를 몇 번이고 반복했다. 내일은 떠나야지, 내일은 떠나야지. 그러나 다음날 아침이면 이내 머리가 맑아져 그는 다시 수행에 전념할 수 있었다.

그렇게 수행 50일이 지났을 때 그의 몸은 매우 약해져 있었고, 정신적으로도 지쳐 있었다. 매일 밤 무서운 환상이 나타났다. 호랑이와 악마들이 그의 앞에 서서 울부짖고, 귀신들이 나타나 그를 삼킬 듯 달려들면서 차가운 발톱으로 목을 할켜댔다. 매일 밤 끊임없이 공포에 시달렸다. 그 뒤 한 달이 지나자 이번에는 즐거운 환상이 나타났다. 부처님이 경을 가르치기도 하고 어떤 때는 멋진 옷을 입은 보살이 나타나 스님에게 극락으로 가게 될 것이라고 말해주곤 하였다. 80일이 끝나갈 무렵 스님은 몸과 마음이 이전보다 더 강해지고 있음을 느꼈다. 살갗도 솔잎처럼 파랗게 변했다.

드디어 마지막 1백 일이 되었다. 스님은 암자 밖으로 나와 목탁을 두드리며 염불을 하고 있었다. 그때 갑자기 그는 자신이 몸을 떠나서 무한한 공간에 있음을 느꼈다. 뿐만 아니라 저 먼 곳으로부터 들려오는 목탁소리와 자신의 음성도 들을 수 있었다. 그는 잠시 그 상태에 머물러 있었다.

스님이 다시 자신의 몸으로 돌아왔을 때 그는 깨달았다. 바위, 강뿐만 아니라 모든 것을 있는 그대로 볼 수도 있고 들을 수 있으며, 이 모든 것이 참다운 자성이라는 것을 깨달았다. 모든 것은 있는 그대로인 것이고 참진리는 바로 이와 같은 것이었다.

그날 밤 스님은 잠을 푹 잘 수 있었다. 다음날 아침 그는 깨어나서 한 사나이가 산에 오르는 것을 보았다. 그때 나무 위로 까마귀들이 날고 있었다. 그는 다음과 같은 시를 지었다.

원각산하 한길은 지금 길이 아니건만,
배낭 메고 가는 행객 옛 사람이 아니로다.
탁, 탁, 탁, 걸음소리는 옛과 지금을 꿰었는데,
깍, 깍, 깍, 까마귀는 나무 위에서 날더라.

圓覺山下非今路
背裏行客非古人
濯濯履聲貫古今
可可烏聲飛上樹

　그 후 선사는 산을 내려와 만공선사의 가르침을 받았던 고봉선사
를 만났다. 고봉선사는 당시 국내에서 가장 뛰어난 선사였으며, 또
가장 엄하기로 소문이 난 분이었다. 당시 그는 거사들만 가르쳤는
데, 평소 그의 입버릇이 "중들이란 다 도둑놈"이라는 것이었다. 숭산
스님은 자신의 깨달음을 고봉선사로부터 점검받고 싶어서 목탁을
들고 찾아갔다. 고봉선사 앞으로 간 숭산스님은 "이것이 무엇입니
까?" 하면서 목탁을 디밀었다. 이 물음에 고봉선사는 목탁채를 집어
서 목탁을 쳤는데, 이런 행동은 스님이 예상한 대로였다. 숭산스님
이 질문을 했다.
　"어떻게 참선해야 합니까?"
　고봉선사가 말하였다.
　"옛날 한 스님이 조주선사에게 묻기를 '달마대사가 서쪽에서 온
까닭은 무엇입니까(如何是祖師西來意)?'라고 했더니 조주는 '뜰 앞
의 잣나무(庭前栢樹子)'라고 했다. 이것이 무슨 뜻이냐?"

숭산스님은 알 것도 같았으나 어떻게 답을 해야 될지를 몰라 "모릅니다"라고 했다.

고봉선사는 "모르면 의심 덩어리를 끌고 나가라. 이것이 바로 참선수행법이다"라고 말하였다.

그 해 봄과 여름 동안에 숭산스님은 행선(行禪, 각처로 돌아다니며 선을 닦는 일)을 하였다. 가을이 되자 스님은 수덕사로 옮기고 100일간의 결제에 들어가 선과 법거량을 배웠다. 겨울이 되었을 때 숭산스님은 스님들이 열심히 수행을 하지 않는다고 생각해서 무슨 수를 써서든지 다른 스님들의 공부를 도와야겠다는 마음이 들었다.

숭산스님이 불침번을 서는 어느 날 밤에 (당시는 도둑이 많았다) 그는 부엌으로 들어가 놋사발과 냄비를 모두 꺼내 앞마당에 둥그렇게 늘어놓았다. 다음날 밤에는 법당 안 불단 위의 부처님을 벽을 향해서 돌려놓고, 국보였던 향로를 내와서 견성암 마당 위 감나무 꼭대기에 올려놓았다. 다음날 아침이 되었을 때 절에서는 난리가 났다. 누군가 왔다갔다고도 하고 또 산신이 내려와 스님들 공부 열심히 하라고 혼을 냈다고 하는 소문이 쫙 퍼졌다.

셋째 날에 그는 비구니들 처소로 가서 방 밖의 고무신 70켤레를 집어다가 덕산선사의 방 앞 댓돌 위에 고무신 가게 진열장같이 늘어놓았다. 바로 그때 비구니 한 사람이 밖으로 나왔다가 신발이 없어진 것을 알고 잠자는 다른 비구니들을 모두 깨웠다. 결국 그는 붙잡히게 되었다.

다음날 그는 대중들 앞에서 대중공사를 받았다. 거기에 참가한 스님들 대부분이 숭산스님에게 또 한번의 기회를 주기로 결정하여 (비구니들은 그를 미워했지만) 스님은 수덕사에서 쫓겨나지 않을 수 있었다. 그러나 대신 그는 큰스님들을 찾아다니며 참회를 해야만 했다.

맨 처음으로 그는 전월사의 덕산스님을 찾아가 절을 올렸다. 덕산스님은 오히려 "공부 열심히 하라"고 격려를 하였다.

다음으로 그는 비구니 큰스님을 찾아갔다. 스님은 "젊은 사람이 산중을 이렇게 시끄럽게 했는데, 이럴 수가 있는가?"라며 숭산스님을 꾸짖었다. 그때 숭산스님이 웃으며 "이 세상이, 온 우주가 시끄러운데 견성암만 시끄럽겠습니까?"라고 되묻자 그 스님은 아무 말도 못하였다.

그 다음으로 숭산스님이 찾은 사람이 바로 거친 행동과 상소리로 유명했던 춘성선사였다. 숭산스님은 절을 한 뒤 이렇게 물었다.

"스님, 제가 어젯밤에 삼세제불(과거 · 현재 · 미래에 나타나는 모든 부처)을 다 죽여서 장사를 지내려고 도반을 구하는 중입니다. 스님 어떻게 하시겠습니까?"

춘성선사는 "아!" 하고 감탄하며 숭산선사의 눈을 그윽히 들여다보았다. 그런 다음 "네가 본 것이 뭐냐?" 하고 물었다.

숭산스님이 말했다.

"밖에 눈이 하얗지 않습니까?"

"아하, 이 사람 큰일날 사람이네, 그래 밖에 눈이 하얀데 그 눈속에 불이 붙는 소식을 아느냐?"

"왜 구멍 없는 젓대소리를 하십니까?"

춘성선사가 웃으며 "아하!" 하고 감탄하며, 몇 가지 질문을 더하자 숭산스님이 하나도 막힘 없이 술술 답하였다. 드디어 춘성선사가 자리에서 일어나 숭산스님 주위를 돌며 춤추면서 외쳤다.

"행원이가 견성을 했다! 견성을 했어!"

그 소식은 삽시간에 퍼져 그 다음날 모든 사람들이 전날에 있던 일을 소상히 알게 되었다.

1월 15일, 해제한 뒤 숭산스님은 고봉선사를 찾아 길을 떠났다. 서울로 올라가는 길에 숭산스님은 금봉, 금오, 두 선사를 만나서 그들로부터 인가를 받았다.

숭산스님은 누더기를 입고 걸망을 진 채 고봉선사의 절을 찾아갔다. 그가 고봉선사 앞에 절을 올리고 말했다.

"제가 어제 저녁에 삼세제불을 다 죽였기 때문에 송장을 치우고 오는 길입니다."

"내가 그걸 어떻게 믿을 수가 있느냐?" 하고 고봉선사가 말했다.

숭산스님은 걸망에서 오징어 한 마리와 소주 한 병을 꺼냈다.

"송장을 치우고 남은 것이 있어서 여기 가지고 왔습니다."

"그럼 한 잔 따라라."

"잔을 내주십시오."

이 말에 고봉선사가 손바닥을 내밀었다. 스님은 술병으로 고봉선사의 손을 치우고 장판 위에 술병을 내려놓았다.

"이게 스님의 손이지 술잔입니까?"

고봉선사가 빙긋이 웃고 말했다.

"나쁘지 않다. 네가 공부를 좀 하긴 했다만 몇 가지를 더 묻겠다."

고봉선사는 1천7백 가지 공안 중 어려운 것을 골라 물었는데, 숭산스님은 막힘 없이 모두 대답하였다. 이를 본 고봉선사가 말했다.

"쥐가 고양이 밥을 먹다가 밥그릇이 깨졌다. 이게 무슨 뜻이냐?"

"하늘은 푸르고 물은 흘러갑니다."

"아니다."

숭산스님은 정신이 번쩍 들었다. 선문답에서 한 번도 틀린 적이 없는 그였다. 얼굴이 벌게져서 또 다른 '여여(如如)한' 답을 말했다. 고봉선사가 고개를 흔들었다. 참다 못한 숭산스님은 화가 났고 또 실망했다.

"춘성·금봉·금오 선사님들 모두 제게 인가를 해주셨는데, 왜 스님만 아니라고 하시는 겁니까?"

"그게 무슨 뜻이냐? 말하라."

50여 분간 고봉선사와 숭산스님은 서로 성난 고양이같이 상대방을 노려보기만 했다. 불꽃이 번쩍번쩍 튀는 듯했다. 그때 갑자기 숭산스님이 대답을 하였는데, 그것이 '즉여(卽如)'의 답인 것이었다.

고봉선사는 이것을 듣자 눈에 눈물을 고이고 얼굴에 기쁨이 넘치며 환히 웃고 숭산스님을 얼싸안고 말했다.

"네가 꽃이 피었는데, 내가 왜 네 나비 노릇을 못하겠느냐?"

1949년 1월 25일, 숭산스님은 고봉선사로부터 법을 전수받아 이 법맥의 78대 조사가 되었다. 그리고 이는 고봉선사가 주었던 최초의 전법(傳法)이었다.

전법식이 끝나고 고봉선사는 숭산스님에게 이렇게 말했다.

"지금부터 3년간을 너는 묵언하여라. 너는 이제 무애한 대자유인이다. 우리 5백 년 후에 다시 만나자. 네 법이 세계에 퍼질 것이다."

숭산은 이렇게 해서 선사가 되었으며 당시의 나이는 스물두 살이었다.

큰스님은 이후 일본이 한국을 식민지배하면서 왜곡시켜 놓은 한국의 불교 전통을 바로잡고자 노력했다.

조계종의 총무원 부장을 지내면서 조계종의 개혁을 위해 전력투구했다. 그러는 중에도 모교인 동국대학교에 창설된 선 명상센터에서 참선을 지도했다. 그리고 비구니들이 정진하고 있는 보문사를 비롯하여 서울에 있는 다섯 개의 절에서 참선 지도자로 초빙되었다.

1966년, 큰스님은 일본으로 건너간다. 그곳에서 불교와 종교의 해악에 대한 북한의 선전에 의하여 끊임없이 현혹되면서 정신적 안내자 없이 생활하고 있는 재일교포들에게 종교적인 구심점이 절실히 필요하다는 사실을 깨닫고, 그들을 위하여 동경에 절을 건립하였다.

그러다 마침내 1972년, 일본에서의 포교가 어느 정도 되었다고 판단될 즈음, 미국에서 참선에 대한 관심이 늘고 있다는 소식을 듣는다. 더군다나 자유로운 정신적 토양 위에서 히피들도 많이 생기고 있다는 말을 들으면서 미국이야말로 참선불교를 뿌리내릴 수 있는 가장 비옥한 토양이라고 생각했다.

그리하여 홀홀 단신 미국으로 건너간 것이다.

큰스님이 미국 속으로

큰스님이 처음으로 미국에 건너간 해는 1972년이었다. 나이 마흔 여섯 살 때 일이다. 당시 큰스님은 한국 근대사의 큰 스승 경허스님의 맥을 잇는 고봉 대선사님으로부터 1949년 법을 전해 받은 뒤 조계종 청담 종정스님과 함께 조계 종단을 이끌고 있었다.

1950년대부터 70년까지 그는 한국의 유명한 선승이었다.

그러나 큰스님은 그 모든 명예와 지위를 다 버리고 서양인들에게 불법을 전하기 위해 홀쩍 미국으로 간 것이다. 큰스님은 미국에 도착해 로드 아일랜드 프라비던스에 방 두 칸짜리 작은 아파트를 구했다. 이웃들은 대부분 가난한 흑인들이었다. 작은 불상, 목탁, 죽비, 향만을 들고 미국으로 간 큰스님은 아파트에 작은 법당을 꾸미고 혼자서 아침 저녁으로 예불을 하고 참선수련을 했다.

한국에서 그는 존경받는 스님이었다. 그를 위해 요리해주고 빨래해주는 사람들이 있어 손가락 하나 까딱하지 않아도 되었던 그는,

그러나 미국에선 철저히 혼자였다. 게다가 영어도 전혀 못했다. 미국 가서 고생할 거라며 신도들이 주는 보시도 마다하고 무일푼으로 미국으로 건너간 것이었다.

미국에서 스님이 첫번째로 한 일은 세탁소의 세탁기계 수리공. 큰스님은 본래 기계에 관한 한 전문가다. 아침예불과 참선이 끝나면 사복으로 갈아입고 세탁소로 출근해 저녁 늦게까지 고장난 세탁기계들을 수리하고 청소를 하고 온갖 잡일을 했다. 고된 일이 끝나고 집으로 돌아오면 혼자 저녁밥을 짓고, 저녁예불을 한 뒤 잠자리에 들었다.

안락하고 편안한 한국에서 추앙받는 큰스님의 지위를 훌훌 다 벗어 던지고 미국에서 맨바닥 생활을 시작한 것이다(이 이야기는 많은 서양인들에게 깊은 감화를 주고 있다).

그렇게 2년이 흘렀다.

어느 날 한 남자가 세탁소에 빨랫감을 맡기러 들어왔다가 허름한 차림의 머리 깎은 한국 남자를 보고 깜짝 놀랐다. 유난히 맑게 빛나는 눈동자가 그의 시선을 잡아당긴 것이다.

"아니, 이게 누구십니까? 한국의 숭산 큰스님 아니십니까?"

그는 근처 브라운 대학에서 동양문명사를 가르치는 리오 프루덴 (Leo Pruden) 교수였다. 불교 문화 연구에도 일가견이 있었던 그는 그동안 숭산스님을 사진에서만 뵙고도 대뜸 알아본 것이었다.

작은 키에 삭발한 머리, 기름때 묻은 작업복. 가슴에는 '미스터 리'(Mr. Lee)라는 명찰뿐이었지만, 프루덴 교수는 그가 숭산스님임에 틀림없다고 생각한 것이다.

프루덴 교수의 놀라움에 큰스님은 "잉글리쉬 노노"(저 영어 못해

선이란 특별하거나 어려운 것이 아닙니다. 우리의 말, 생각, 행동이 하나가
되는 것입니다. 일반적으로 우리가 생활하면서 가만히 보면 마음과 몸이 따
로 놉니다. 먹을 때, 잘 때, 걸을 때 우리 몸은 먹고 자고 걸을지 몰라도 마
음은 끊임없이 따로 움직입니다. 참선수행을 하면 몸과 마음이 완벽하게 하
나가 됩니다. 그때 여러분은 이미 세계 평화를 경험하는 것입니다.

나는 누구인가. 나는 어디서 났으며, 죽으면 어디로 가는가……. 이 질문
을 붙잡고 '오직 모를 뿐……' 하는 마음을 갖고 열심히 수행하십시오. 그
러면 모든 생각이 끊어지고 집착이 사라집니다. 생각 이전의 본성으로 돌아
올 수 있습니다. 말과 행동이 하나가 됩니다. 그것이 조화이고 평화입니다.

요)만 연발하셨다고 한다. 프루덴 교수는 큰스님의 말씀을 알아듣고 일본말로 이야기하기 시작했다. 일본말이라면 큰스님도 유창했기 때문에 드디어 두 사람간에 말문이 트였다.

"제가 한국에서 온 숭산입니다."

"아니, 어떻게 이런 곳에서 이런 차림으로 일하고 계십니까? 스님에 관해서는 책을 많이 읽어 알고 있습니다."

"미국 사람들에게 불교를 좀 알려주고 싶어 2년 전에 이곳에 왔습니다. 그들에게 불교를 알려주려면 우선 그들의 마음을 먼저 알아야 한다고 생각해 이곳에서 일하면서 많은 미국인들을 접하려 한 것이지요. 말은 전혀 안 통해도 눈빛과 태도만 보아도 되니까요."

큰스님은 단순히 생계 유지를 위해 세탁소에서 일을 한 게 아니었다. 미국인들의 의식과 문화를 알기 위해 수행을 한 것이었다. 그들이 어떻게 행동하고 제스처하는지 빠짐없이 관찰해 그들 의식의 본질과 속성을 이해하고자 한 것이다.

우리가 갖고 있는 불성이란 서로 다른 얼굴, 서로 다른 외모, 서로 다른 표현방식, 서로 다른 문화 속에서도 하나라는 것을 큰스님은 굳게 믿었던 것이다.

프루덴 교수는 너무 감동했다. 이어 곧 자신의 제자들을 큰스님께 소개했다. 큰스님 이야기를 전해 들은 학생들은 너도나도 큰스님의 아파트로 찾아가 가르침을 듣기 원했다. 큰스님은 항상 큰 미소로 그들을 맞이했고 손수 된장찌개와 칼국수, 김치를 만들어 대접했다. 재미있게도 그들의 만남은 프루덴 교수의 통역으로 일본어로 시작되었다.

학생들은 큰스님이 왜 굳이 세탁소에서 일을 하느냐고 묻기도 했다. 그때마다 큰스님은 "불교의 진정한 실천은 나를 죽이는 하심(下心)에 있기 때문"이라고 답했다. (이 하심의 실천은 달라이 라마도 마찬가지다. 그는 전세계에서 추앙받는 영적 지도자이지만 대통령을 만날 때나, 길거리에서 거지를 만날 때도 표정과 모습이 한결같다.)

그렇게 2년여가 흘렀다. 많은 학생들이 큰스님과 함께 정례적인 예불과 강연을 원했으며 예일 대학 졸업생 두 명이 승려가 됨으로써 비로소 큰스님의 제자들이 탄생했다. 바야흐로 한국 선불교가 미국에 뿌리를 내리는 순간이었다.

큰스님과 한 나이 든 제자 사이에 있었던 일화를 소개하려 한다. 이 일화는 서양, 특히 미국인들이 불교를 어떻게 받아들이고 있는지에 대한 그들의 의식을 단적으로 보여주고 있는 일화다. 그리고 큰스님의 가르침 스타일이 얼마나 폭넓고 유연한 것인지를 보여준다.

큰스님이 프라비던스 젠센터에 법문을 하는 날이었다. 많은 사람들이 모여들었다. 여느날처럼 큰스님은 법당으로 들어오셔서 높은 연단에 앉으셨다. 막 법문을 시작할 무렵, 큰스님은 한 나이 많은 지도법사가 나이어린 제자들과 함께 나란히 앉아 있는 것을 발견했다. 이 지도법사는 큰스님의 오랜 제자 중 한 분으로 관음선종 패밀리 안에서도 나이가 많은 축에 드는 분이었다.

"아니, 법사님, 왜 그렇게 뒤에 앉아 계세요? 이리 앞으로 나와 앉으세요."

큰스님의 제안에 선뜻 자리를 옮기리라 생각되었던 그는 의외로 고집을 피웠다.

"큰스님, 저는 이 자리가 좋습니다. 젊은 사람들과 같이 앉아야 그들과 어울리지요. 언제나 앞줄에 앉아 있으면 저는 그 사람들 얼굴을 보기가 힘듭니다."

"하하하. 당신은 존경받는 지도법사입니다. 여기 보세요. 다른 지도법사님들은 모두 앞에 앉아 계시잖아요. 이게 우리 전통입니다."

그러자 대뜸 지도법사님의 입에서 항의성 언사가 튀어나왔다.

"큰스님, 그건 그저 오래된 낡은 전통입니다. 그리고 그건 큰스님이 세우신 전통이지 우리의 본래 전통은 아니지 않습니까."

갑자기 어색한 침묵이 흘렀다.

과연 큰스님의 입에서 어떤 대답이 나올지 다들 숨죽이며 기다리고 있었다.

"그것은 내가 세운 전통이 아닙니다. 나이 든 사람들은 앞에 앉고 젊은 사람들이 뒤에 앉아야 젊은 사람들이 앞에 앉은 스승들을 보고 '아 나도 열심히 수행해서 앞에 가 앉아야지' 할 것 아닙니까. 하하하."

큰스님의 웃음소리 덕택에 냉랭했던 법당 분위기가 이내 누그러졌다. 큰스님의 말씀이 이어졌다.

"이건 우리가 가르침을 받기 위한 형식에 불과한 것이에요. 알겠어요?"

"큰스님은 형식에 집착하고 계시군요."

"그러고 보니 우리 법사님은 무형식에 집착하고 계시군요."

두 분의 질문과 대답으로 법당 분위기는 다시 싸늘해졌다. 법당 안에 있던 사람들은 대충 이쯤에서 지도법사님이 고집을 꺾으시리라 생각했다. 그런데 법사님은 막무가내였다.

"큰스님께서 강조하는 전통은 그저 오래된 한국 스타일에 불과합니다. 그건 미국 스타일이 아닙니다. 미국에서는 나이에 상관없이 먼저 온 사람이 앞자리에 앉습니다. 우리는 우리 문화에 걸맞는 수행문화를 만들어야 한다고 생각합니다."

큰스님은 손을 휘휘 내저으셨다.

"이건 한국도, 불교 전통도 아닙니다. 그저 자연법칙입니다. 숲에 한번 가보세요. 큰나무도 있고 작은 나무도 있지요? 큰나무는 키가 커서 햇빛도 잘 받고 빗물도 잘 받습니다. 뿌리도 크고 단단합니다. 하지만 어린 나무들은 이 큰 나무들에 가려 햇빛도 별로 못 받고 비도 흠뻑 못 맞습니다. 뿌리는 작을 수밖에 없지요. 그러나 오랜 시간이 흐르면 이 어린 나무들이 점점 자랍니다. 열심히 살려고 몸부림을 치기 때문에 더 강해지지요. 노력하지 않는 나무들은 자랄 수 없습니다. 이건 자연법칙입니다. 동양 전통도, 한국 전통도, 불교 전통도 아닙니다. 알겠습니까?"

그제서야 법사님 입에서 "예"라는 말이 나왔다.

그는 머리 숙여 깊이 절한 뒤 큰스님 말씀대로 앞줄에 가 앉았다.

큰스님은 아무 일도 없었다는 듯 법문을 시작하셨다.

이건 아주 재미있는 일화다.

불교를 처음 접한 미국인들은 이처럼 모든 일에 의문을 갖고 도전을 한다.

'이것을 여쭈어보면 큰스님께서 무어라 말씀하실까' 하는 거리낌이 없다. 그렇다고 해서 '오랫동안 내려온 전통이니까 무조건 따라 해라' 식으로 말해서는 안 된다. 뭘 몰라서 그렇다고 따지거나 꾸짖을 수는 더더욱 없는 일이다. 환자에게 약을 먹이겠다고 나선 의사가 먼저 환자를 이해하고 포용하고 설득해야 한다.

큰스님은 우리 서양인들의 의식구조를 꿰뚫고 있다. 그렇기 때문에 정확한 처방을 내린다. 이것이 바로 서양인들이 그를 믿고 따르는 중요한 이유다.

큰스님은 우리와 다른 나라에 태어났고 나이도 많지만 우리의 생각을 너무도 잘 안다. 어떤 때는 정작 우리보다 더 잘 우리 마음을 꿰뚫어보기 때문에 놀랄 때가 한두 번이 아니다.

나이를 넘어, 국적을 넘어, 성을 넘어, 종교를 넘어 큰스님은 마음의 병을 앓고 있는 우리들에게 정확한 진단과 처방을 내리는 훌륭한 의사다.

또 한 편의 일화는 숭산스님의 초능력관에 대한 것이다. 큰스님의 말씀을 빌려 소개하겠다.

어느 날 뉴헤이븐 젠센터에 다니는 학생 한 사람이 큰스님께 이렇게 여쭈었다.

"선사님께서는 초능력을 행하신다고 들었습니다. 만약 기적을 일으킬 수 있는 능력을 가진 선사가 있다면 위대한 사람으로 칭송받을 것입니다. 마음의 병뿐 아니라 육체의 병도 고친다고 말이지요. 왜 선사님께서는 예수님처럼 눈먼 사람의 눈을 뜨게 한다든지 앉은뱅이를 서게 한다든지 미친 사람을 제정신이 돌아오게 한다든지 물 위를 걷게 한다든지 하는 기적을 행하시지 않으십니까? 혹은 기적을 행하시기 위해 노력하시지는 않나요? 만약 선사님께서 그런 이적을 행하셨다는 소문이 퍼지면 선사님의 가르침이나 불교에 대해 더 많은 사람들이 믿게 될 텐데요."

큰스님은 이렇게 답하셨다.

"사람들은 자기가 믿는 스승들이 기적을 행하는 것을 보고 싶어 하고 바라기도 합니다. 하지만 기적은 단지 어떤 '기술'일 뿐입니다. 그것은 진정한 길이 아닙니다. 만약 어떤 스승이 기적을 통해 사람을 설득시키려 한다면 사람들은 스승의 가르침에 몰두하는 것이 아니라 그 기적에만 몰두하게 됩니다. 기적에 집착하는 것이지요.

신도들은 바른 길은 배우려 하지 않고 쉽게 가는 길만을 배우려 하지요. 의사가 아픈 환자에게 병을 고쳐줄 약을 준다고 하면서 다른 한편으로 그에게 또 다른 병을 준다면 그 의사를 명의라고 하겠습니까. 만약 사람들이 어떤 선사가 물 위를 걷는 것을 보고 아! 나도 선을 배워야겠다고 생각해 선에 입문한다면 실제 참선수행에 들어가서는 선수행이 아주 어렵고 지루하고 심지어 기적을 행하는 일이 아니라는 것을 깨닫고 나선 실망하게 될 것입니다. 그리고 그들은 이내 그만둘 것입니다.

훌륭한 선사란 기적을 행하는 사람이 아니라 사람들의 업을 바로 아는 사람입니다. 부처님께서는 우리가 세세생생 만들어 놓은 업을 녹이려면 오직 우리 자신이 그것을 원할 때만 가능하다고 하셨습니다. 부처님께서는 우리들의 마음의 병을 치료할 많은 명약들을 만들어 놓았지만 그것을 우리 입에 직접 집어넣을 수는 없다고 하셨습니다.

부처님은 이미 눈먼 사람, 몸이 불편한 사람들에게도 가르침을 주셨습니다. 하지만 대부분 사람들은 뭔가 쉽고 빠른 길을 좋아합니다. 그리고 자기 병을 고치기 위해 자기가 노력하는 것이 아니라 남이 해주길 바랍니다. 그건 마치 아이를 기르는 엄마에 비유할 수 있습니다. 엄마가 아이에게 모든 것을 해준다면 아이는 엄마에게 모든 것을 의존할 것입니다. 훌륭한 엄마는 '아이가 혼자하는 법'을 가르치는 엄마입니다. 그러면 아이는 자라서 강해지고 독립적이 됩니다.

여기에 자기 자신을 예수라고 하는 사람이 있다 칩시다. 많은 사람들이 그를 따릅니다. 심지어 그가 세수를 하고 발을 씻은 물을 영험하다고 해서 약으로 마시기도 합니다. 그런데 신기하게도 정말 그들의 병이 그 물을 마시고 나았습니다. 정말 예수님께서 그 병을 고치신 것일까요. 나는 그렇게 생각하지 않습니다. 그들의 믿는 마음이 그들의 병을 고친 것입니다. 만약 사람들에게 믿는 마음이 없으면 예수님은 기적을 행할 수 없을 것입니다. 하지만 이것은 올바른 가르침이 아닙니다. 초능력이란 사람의 나쁜 업을 사라지게 하지는 않습니다. 단지 기술일 뿐입니다. 예수님이 비록 나사렛을 일으켜 세우셨다 하더라도 나사렛의 나쁜 업은 사라지지 않습니다. 궁극적으로 나사렛은 죽습니다.

부처님 살아 생전에 제자가 한 사람 있었는데 그는 아주 신비한 능력을 가진 사람이었습니다. 어느 날, 그는 명상에 잠겼다가 카필라 왕국이 전쟁으로 곧 파괴될 것이라는 것을 알게 됩니다. 그러자 부처님께 당장 달려갑니다.

'헉헉, 부처님 일주일만 지나면 카필라성에 전쟁이 나 폭삭 무너집니다. 알고 계십니까?'

'물론, 알고 있다.'

'그렇다면 왜 백성들을 구하려 하지 않으십니까?'

'그것은 그들이 당연히 받아야 할 업이다. 그것을 없애는 것은 불가능하다.'

부처님의 말씀을 들은 그 제자는 부처님께 아주 실망을 했습니다. 아니, 사람이 죽어가는 것을 알면서도 가만히 계시다니……. 제자는 초능력을 발휘해 카필라성을 작은 밥그릇에 담아 이른바 도솔천이라고 하는 천국에 갖다 놓았습니다. 그곳은 아주 평화롭고 고요한 곳이었습니다. 드디어 위험하리라 생각했던 일주일이 아무 일 없이 지났습니다. 제자는 그제서야 안심을 하고 다시 밥그릇을 지구 카필라성 자리에 갖다 놓았습니다. 그런데 제자가 밥뚜껑을 열자, 그 안에 담아두었던 카필라성 사람들은 그 안에서 전쟁을 일으켜 감쪽같이 사라져 버렸습니다.

바로 이렇습니다. 초능력이란 단지 기술입니다. 여러분들은 카드놀이를 할 때 도사처럼 카드를 감추는 사람들을 많이 보았지요? 하지만 그것은 단지 기술의 하나입니다. 초능력도 마찬가지입니다.

만약 여러분들 중 누군가 기적을 행하고 싶다면 그것을 어떻게 하는지 배우는 것은 가능합니다. 그러나 눈이 예리한 진정한 스승이라면 초능력을 가르쳐주는 것이 아니라 제자들이 바른 길을 가도록 인도할 것입니다. 이 길이야말로 제자들의 나쁜 업을 녹여내 우주의 진리를 깨닫게 하기 때문입니다. 그러므로 기적은 없습니다. 오직 바른 관점, 바른 수행만이 있을 뿐입니다."

도올 김용옥 선생의 회고

큰스님의 초기 미국 생활 시절, 큰스님을 직접 만난 철학자이자 한의사인 김용옥 선생의 회고담을 들어보자.

나는 김용옥 선생을 지난 2월 화계사에서 처음 만났다. 김선생과 큰스님의 관계는 아주 돈독하다.

김용옥 선생이 펴낸《나는 불교를 이렇게 본다》에 묘사된 숭산스님의 얘기를 저자의 허락을 빌려 여기에 옮겨 적는다.

그의 말은 격해서 때로 제자인 내 입장에서 볼 때 숭산 큰스님에 대한 표현이 무례하다고까지 느껴지지만 솔직한 고백이라 생각되어 독자 여러분께 소개한다.

최근세 조선 선종(禪宗)의 종맥(宗脈)을 따지자면 경허(鏡虛) ― 만공(滿空)의 거맥(巨脈)을 빼놓을 수 없다. 대부분 우리나라 20세기에 우리 귀에 익숙한 고승들 대부분이 이 경허 ― 만공 맥의 문하에서 배출되었기 때문이다.

그런데 이 만공 문하 고봉의 수제자로 숭산(崇山) 행원(行願)이라는 인물이 있다. 내가 다녔던 한국신학대학 뒤켠의 물 건너 수유리 우이기슭에 있는 화계사의 조실스님으로서 참 존경스러운 분이다.

그런데 나는 이 숭산스님을 하버드 재학시에 케임브리지 어느 허름한 미국집 안방에서 만났다. 숭산스님이라 하면 우리나라 승려들에게는 조선 불교를 세계 만방에 선교한 가장 성공적 스님으로서 그 고명이 널리 알려져 있다. 그 스님이 개척한 사찰만 해도 지금 세계 각국 도처에 공산권까지 포함해서 없는 곳이 없다시피 하다. 그리고 지금 행원 스님이 문자 그대로 인간세의 원(願)을 행(行)하고 다니는 장정(長征)의 반경이란 혜초(慧超, 704 ~ ?)의 왕오천축국의 기행보다 더 방대한 것이요, 마오쩌둥의 장정보다도 더 처절한 측면이 있는 것이다.

그러나 내가 행원스님을 만나뵈었을 때만 하더라도 그분은 그리 널리 알려진 분이 아니었다. 선교 개척의 초창기는 이미 지난 시점이었다 하더라도 그리 융성한 시기는 아니었다.

그러나 그분의 명성은 뉴잉글랜드 지역, 특히 예일 대학과 하버드 대학권 내에서는 좀 시끌시끌한 것이었다. 내가 숭산의 이름을 들은 것은 하버드 대학에서 교수들의 대강(代講)을 하고 있을 때 내 학생 중에 한국 불교 전공을 지망하는 어느 참하고 예쁘장한 미국 여학생으로부터였다.

내 기억으로 그 여학생의 이름은 베키라 했고, 그 여학생은 하버드 대학 학부를 졸업할 때 하버드 대학 통틀어 전체 수석을 했으니까 무지하게 머리가 좋은 학생이었다.

그런데 베키는 당시 한국 불교사를 가르치고 있었던 나를 만날 때마다 '쑹싼쓰님' 운운 하는 것이었다.

베키의 '쑹싼쓰님'에 대한 존경은 가히 절대적인 그 무엇이었다. 그러면서 베키는 나보고 자기가 존경하는 학자인 당신이야말로 꼭 한번 '쑹싼쓰님'을 만나보라고 조르는 것이었다. 당신과 같은 훌륭한 한국의 학인이 쑹싼쓰님을 안 뵙는 것은 뭔가 잘못된 것이라는 것이다.

베키가 아무리 나에게 쑹싼쓰님을 만나보라고 권고했어도 나는 그를 만날 생각이 없었다. 주기적으로 여기저기 돌아다니시는데 어느 날 케임브리지 젠센터에 오셔서 달마 토크(Dharma talk, 법문을 이렇게 영역)를 하시니깐 그때 꼭 한번 만나보라는 것이었다.

'쑹싼쓰님'의 달마 토크 때는 하버드 주변의 학·박사들이 수백명 줄줄이 모여든다는 것이다. 내가 사실 불교계의 인맥을 파악한 것은 최근의 일이므로 그때만 해도 누가 누군지를 전혀 몰랐다.

실상 속마음을 고백하자면 나는 '쑹싼쓰님'을 순사기꾼 땡중일 것이라고 생각했다. 그 이유인즉슨 나에겐 다음의 명료한 두 가지 생각이 있었다.

하나는 저 베키를 쳐다보건대, 저 계집아이를 저토록 미치게 만든 놈, 즉 저 계집아이가 숭산이라는 개인에게 저토록 절대적 신앙심을 갖게 만들었다는 것 자체가 무슨 사교(邪敎)적 권위의식을 좋아하는 절대론자일 것이고 따라서 해탈된 인간으로 간주될 수는 없다. 자기는 자유로울지 모르지만 타인에게 절대적 복속과 부자유를 안겨주는 놈은 분명 사기꾼일 것이다.

또 하나는 '달마 토크'의 사기성에 있었다. 숭산이 다 늙어서 미국엘 건너온 사람인데 무슨 영어를 할 것이냐? 도대체 기껏 지껄여 봐야 콩글리쉬 몇 마딜 텐데, 영어로 말할 것 같으면 천하에 무적인 도사 김용옥도 하버드에 와선 벌벌 기고 있는데, 지가 무슨 달마 토크냐 달마 토크는? 하버드 양코배기 학박사들을 놓고 달마 토크를 한다니 아마도 그놈은 분명 뭔가 언어 외적 사술(邪術)을 부리는 어떤 사기성이 농후한 인물일 것이다. 정도(正道)는 언어(言語) 속에 내재할 뿐이다.

그런데 베키의 간청에 못 이겨 케임브리지 젠센터의 한구석에 쭈그리고 앉아 숭산의 달마 토크를 듣는 순간, 나는 언어를 잃어버렸다.

나는 그의 얼굴을 보는 순간 그동안 나의 식(識)의 작용 속에서 집적해왔던 '객기'(客氣)가 얼마나 무상한 것인가를 깨달았던 것이다. 한 인간의 수도를 통해 쌓아올린 경지는 말과 말로 전달되지 않는다. 그것은 오로지 몸과 몸으로 전달될 뿐이다. 몸과 몸의 만남은 언어가 없는 것이기에 거짓이 끼여들 수가 없는 것이다. 나는 그의 얼굴을 쳐다보는 순간, 그가 해탈인이었음을 직감했다.

그의 얼굴 속에는 위압적인 석굴암의 부처님이 앉아 있는 것이 아니라 동네 골목에서 흔히 만날 수 있는 '땅꼬마'가 들어 있는 것이 아닌가? 몸의 해탈의 최상의 경지는 바로 어린애 마음이요, 어린애 얼굴이다. 동안(童顔)의 밝은 미소, 그 이상의 해탈, 그 이상의 하느님은 없는 것이다.

숭산은 결코 거구는 아니라 해도 작은 덩치는 아니다. 당시 오순 중반에 접어든 그의 얼굴은 어린아이 얼굴 그대로였다. 그의 달마 토크는 정말 가관이었다. 방망이를 하나 들고 앉아서 가끔 톡톡 치며 내뱉는 꼬부랑 혀 끝에 매달리는 말들은 주어 동사 주어 술부가 마구 도치되는가 하면 형용사 명사 구분이 없고 전치사란 전치사는 다 빼먹는 정말 희한한 콩글리쉬였다. 그러나 주목할 만한 사실은 영어의 도사인 이 도올이 앉아 들으면서 그 콩글리쉬가 너무 재미있어 딴전 볼 새 없이 빨려 들어갔다는 것이다. 그의 콩글리쉬는 어떤 그 누구도 흉내낼 수 없는 언어의 파워를 과시하고 있었다. 주부 술부가 제대로 틀어박힌, 유려한 접속사로 연결되는 어떠한 언어 형태도 모방할 수 없는 원초적인 마력을 발하고 있었다.

그의 달마 토크가 다 끝나갈 즈음, 옆에 있던 금발의 여자가 큰스님께 질문을 했다. 내 기억으로 그 여자는 하버드 대학 박사반에 재학중인 30세 전후의 학생이었다. 그녀가 물었다.

"왓 이즈 러브(What is love)?"

큰스님은 내처 그 여학생에게 다음과 같이 묻는 것이었다.

"아이 애스크 유, 왓 이즈 라부(I ask you, what is love)?"

그러니까 그 학생은 대답을 잃어버리고 가만히 앉아 있는 것이었다.

그 다음 큰스님은 이렇게 말했다.

"디스 이즈 라부(This is love)."

그래도 그 여학생은 뭐라 할말을 찾지 못하고 멍하니 앉아 있었다. 그 학생을 뚫어지게 쳐다보던 동안의 큰스님은 다음과 같이 말을 잇는 것이었다.

"유 애스크 미, 아이 애스크 유. 디스 이즈 라부 (You ask me, I ask you. This is love)."

인간에게 있어서 과연 이 이상의 언어가 있을 수 있는가? 아마 사랑 철학의 도사인 예수도 이 짧은 시간에 이 짧은 몇 마디 속에 이렇게 많은 말을 담기에는 재치가 부족했을 것이다. 나는 숭산 큰스님의 비범함을 직감했다. 그의 달마 토크는 이미 언어를 뛰어넘고 있었다. 그리고 이미 국경도 초월하고 있었다. 오로지 인간, 그것뿐이었다.

나는 베키와 같이 이층 선사가 머무는 방으로 올라갔다. 케임브리지 젠센터라고 해봐야 뉴잉글랜드 전형의 목조 주택건물 좀 큰놈을 개조한 것에 지나지 않는다.

이층 한 방은 한국 온돌 안방처럼 꾸며져 있었다. 나는 그에게 그냥 한식으로 넙죽 절을 했다. 그런데 그는 나에게 맞절을 했다. 나를 하대하지 않겠다는 뜻이다. 그때 나는 매우 신비롭게 생각했다. 그가 만나는 사람은 모두 하버드 대학 박사고, 이 도올 김용옥이래 봐야 당시는 매우 보잘것없는 초라한 박사반 학생에 불과하다. 그렇다고 그가 나를 사전에 알았던 것도 아니다. 난 밝은 동안의 미소를 머금고 앉아 있는 그 앞에서 멋쩍게 방안을 빙 둘러봤다. 이것이 바로 1981년 3월19일 밤 열 시 반경의 일이다…… (중략) …… 어느 날이었다. 나는 숭산 행원스님과 함께 앉아 이 얘기 저 얘기를 주고받다가, 도대체 어떻게 이 미국땅에 와서 보시를 하게 되었는가? 어떻게 불법을 전파하여 이 방대한 조직을 그것도 미국의 지적 심장부인 동부 뉴잉글랜드를 중심으로 정착시킬 수가 있었는가? 하는 이야기로 화제를 옮기게 되었다.

(숭산 큰스님 이야기) 아…… 내가 뭐 미국에 와서 포교하구 뭐

그런 생각 꿈에나 해봤나? 전혀 우연이여, 생각두 안 했든 거여. 내가 인연이 닿아 일본에 몇 년 있었는데 그때 뉴욕에 아는 사람이 있어서 차표를 보내주면서 한번 놀러 왔다 가라는 거여. 아 그때만 해도 미국 구경 한번 하기 힘드니께 얼씨구나 좋다 하고 동경에서 뉴욕 가는 비행기를 탔지. 그런데 그때만 해도 비행기 속에서 한국 사람 만나기가 참 힘들었거든. 내가 앞자리에 앉아 있었는데 내 뒤켠에 창가에 있는 어느 중년 신사가 한국말로 한국 스님 아니시냐구 말을 거는 거여. 나두 깜짝 놀라 비행기칸에서 참선만 하구 앉았기두 지루하길래 그 사람 옆 빈 자리에 가 앉아 이 얘기 저얘기 하면서 미국 사정두 듣고 하며 갔질 않았겠나? 알구 보니께 그 사람이 로드아일랜드 대학에서 역사학을 가르치고 있던 교수였는데 거 동양 문화에 대한 향심이 보통이 아니더라구. 뉴욕에 가걸랑 로드아일랜드가 얼마 안 되니깐 꼭 놀러 오라면서 전화번호랑 주소를 적어 주는 거여. 뉴욕에 있는데 어느 날 그분 김교수님 생각이 나드라구. 그래서 전화하구 그 집엘 놀러 갔지. 그런데 그 집에 내가 온다 해서 김교수가 불러다 놨는지 불교에 관심 있는 미국 청년들이 서너 명 와 있더라구. 무슨 예일 대학 학생들이래나. 내가 그때만 해도 예일 대학이 뭔지나 알았어? 그런데 이 녀석들이 자꾸만 물어보는거여. 구찮게 자꾸만 불교에 대해서 물어오는 거여. 내가 뭘 불교에 대해서 아는 게 있어야지. 게다가 김교수 통역으로 어쩌구 저쩌구 얘기해봐야 개갈이 나야지.

그래서 내가 뭘 직접 보여줄 생각을 한 거여. 그런데 내가 최면술을 좀 하거든. 그래서 내가 너희들한테 최면을 걸겠다 하니깐, 이 예일 대학 학생 녀석들이 자기들은 그 따위 최면엔 절대 안 걸린다

212

는 거여. 자기들은 이성적으로 사고하기 때문에 그런 덴 걸릴 수가 없다는 거여.

요시, 한번 맛 좀 봐라! 하구 내가 최면을 걸었지.

수리 수리 마수리 하고 주문을 외면서 이놈들 최면을 거니간 아 이놈들이 최면이 어떻게 잘 걸리는지, 조금 있단 앉은 채로 천장까지 부웅붕 뜨는 거여, 이놈들이 번갈아 가면서 하늘 높이 붕붕 뜨는 거여, 아이 이 지랄을 하고 나니간 이놈들이 엎드려 절하드라구, 그리구 내 소문이 쫙 퍼진 거여. 그리군 계속 몰려들기 시작하는 거여. 그래서 그 길로 김교수도 붙잡구 그래서 미국을 뜨지 못하구 프라비던스에 절을 세우게 된 거여. 프라비던스엔 지금 아주 큰 절이 섰지. 그게 내 본터여. 그게 바루 최면에서부터 시작한 거라구…….

서기 1972년 빈털터리 숭산의 체험을 털어놓는 이 아주 진솔한 어구들은 인류 종교의 발달사 그리고 선교 역사의 가장 보편적 패턴을 말해주는 귀중한 자료를 제공하고 있다. 어느 종교를 막론하고, 고등·하등을 막론하고 고금을 통해서 이 숭산의 말은 가장 진실한 종교의 본 모습을 말하고 있는 것이며 우리가 고구(考究)하고자 하는 '호국불교'의 본질도 바로 이 숭산의 체험 세계에서 내재하는 보편적 구조로부터 탐구해 들어가야 하는 것이다. 어떠한 경우에도 민중이나 이방의 대중에게 고등한 언어 체계나 고도의 사유 체계가 처음부터 먹혀 들어갈 수가 없다.

숭산스님에게는 언어(영어)가 없었고 재력이 없었으며 또 폭력(대사관 같은 것)의 뒷받침이 없었다. 그에게는 대중에게 과시할 일체의 권위라든가 위력이 없었다. 이러한 그가 할 수 있었던 일은 무엇이었을까? 숭산은 처음에 괴력난신(怪力亂神)을 행하는 괴승으로밖에는 보이질 않았다. 그리고 그는 영력을 소유한 선승으로 이미지가 순화되어갔고 지금은 '부처님 머리에 담뱃재를 터는' 것을 가르치는 젠 마스터 철인이 되어 있다.

버릴 때 얻는 것

어찌 보면 참으로 묘한 인연이 아닐 수 없다. 예수님에서부터 철학자 키르케고르, 쇼펜하우어, 니체 , 플라톤, 소크라테스, 음악가 베토벤과 말러에 이르기까지 나는 정신적 난민이 되어 진리를 찾아 헤매었다.

그런데 정작 나에게 진리의 길을 안내해준 사람은 지구를 반바퀴나 돌아야 있는 작은 나라 한국, 그것도 남북이 분단된 땅에서 오신 숭산 큰스님이었다. 그의 영어는 완벽하지 않았으나 그분의 말과 행동은 내가 지금까지 읽었던 이 세상에서 가장 아름다운 수식어로 나열된 영어책, 이 세상의 훌륭한 말은 다 쏟아내는 존경받는 교수님들의 가르침보다 더 강하게 내 영혼을 이끌었다.

이 얼마나 신비롭고 경이로운 일인가.

거기다 아이처럼 천진한 미소와 맑은 눈동자를 가진 키가 작고 땅딸막한 보통 한국 남자의 얼굴을 한 사람이 바로 나의 스승이라니⋯⋯. 생각할수록 신기한 일이다.

나의 스승 숭산 행원 대선사님. 이 살아 있는 부처는 현재 서양에서 가장 존경받는 영적인 스승 중 한 분이다. 전세계 5만 6천여 명의 푸른 눈 제자들이 큰스님과 함께 수행의 길을 걷고 있다.

1996년 영국 케임브리지 대학 종교학 교수팀은 세계 불교의 전통에 관한 책 한 권을 출간했다. 그 책의 제목은 《부처의 비전》(The Vision of the Buddha). 부처님의 기본 가르침을 설명하고 아시아 불교의 다양한 전통을 소개했다. 이 책은 당시 서양에서 동양 불교에 대해 정확하고 자세한 설명을 한 책으로 평가받았으며, 이내 베스트셀러가 되었다. 서울 교보문고 외국 서적 코너에 가도 구할 수 있다.

이 책에는 인도, 티벳, 중국, 스리랑카, 일본 등 각 나라의 불교 전통이 모두 수록되어 있는데 정작 한국 불교에 대한 설명은 단 한 줄도 없다. 2년 전 처음 이 책을 접했을 때 얼마나 슬프고 놀랐는지 모른다.

그러나 다음 순간 그나마 내 마음을 위로해주었던 것은 이 책 맨 뒷부분이었다. 저자들은 이 책 마지막에 '현존하는 4대 생불'이라는 제목의 글을 썼는데 바로 거기에 숭산 큰스님의 이름이 있었다. 그것도 현재 서양에서 가장 존경받고 있는 영적인 스승 달라이 라마 바로 다음에 말이다.

달라이 라마, 숭산 큰스님과 함께 소개된 나머지 두 분은 베트남의 틱 낫 한(Thich Nhat Hahn), 캄보디아의 마하 거사난다(Maha Ghosananda) 스님이다.

저자들은 책에서 큰스님에 대해 이렇게 설명했다.

선불교의 달마대사 숭산은 현재 가장 유명하고 능력 있는 불교계의 큰스승이다. 선불교계의 최고 원로격이면서도 정통 참선불교를 도전적이고 참신한 방법으로 지도한다. 숭산이 신도들과 나눈 편지와 대화록에는 살아 있는 선불교의 가르침들로 가득하다. 〈반야심경〉〈금강경〉 같은 대승불교의 경전들은 숭산의 가르침 안에서 자연스럽게 현대의 언어와 현대의 가르침으로 탈바꿈한다. 우리는 그의 가르침을 통해 비로소 부처님 가르침의 진수를 발견하게 될 것이다.

한국 불교를 영어로 펴낸 유일한 책으로는 인도의 학자 무 성(Mu Soeng)이 1987년에 미국에서 출판한《천 개의 봉우리 ; 한국의 선 — 전통과 스승들》(Thousand Peaks ; Korean Zen — Tradition and Teachers)이란 책이다.

그런데 내가 한국에 와 살면서 깜짝 놀란 것은 숭산 큰스님이 외국에서 평가를 받는 것만큼 한국에서는 그다지 주목을 받고 있지 못하다는 것이다. 아예 큰스님의 업적이 과소 평가되는 것은 물론, 어떤 스님들은 '큰스님이 한국 불교를 버렸다'고 내 앞에서 드러내놓고 혹독한 비판을 하기도 한다. 아연실색할 일이 아닐 수 없다.

그리고 그 비판의 중심 내용은 주로 큰스님의 포교 스타일에 있다는 것을 알게 되었다.

신도와 승려가 젠센터에서 같이 먹고 자고 생활하며 비구와 비구니가 격의 없이 한방에서 수행하고 비구니가 비구 대신 지도법사가 되어 법문을 하고 하는 이 모든 것들이 한국 불교의 전통 포교방식과는 너무도 큰 차이가 있기 때문이다.

결론부터 말하자면 그러한 큰스님에 대한 비판은 종교가 한 사회에서 다른 사회로 옮겨질 때 어떻게 변화 발전되었는지에 대한 통찰이 부족한 데서 비롯된 비난이라고 감히 생각한다.

주지하다시피 불교의 발상지는 인도이다. 현재까지 이어지는 불교 전통 중에는 아직도 부처님이 살아 계실 당시 인도의 사회 문화적 배경에서 만들어진 것들이 많이 있다.

예를 들어 1년에 여름 3개월, 겨울 3개월 집중해서 참선수행을 하는 안거수행은 본래 인도의 날씨 때문에 나온 수행방법이다. 인도는 4계절이 뚜렷하지 않고 대신에 1년 중 비가 많이 오는 우기와 그렇지 않은 건기로 나눠진다. 우기는 비가 너무 많이 내리고 건기는 너무 덥기 때문에 나다니기조차 힘들 정도다. 그래서 부처님은 우기와 건기에 몇 개월씩 집중 수련을 하도록 한 것이다.

본래 스님들은 탁발을 해야 한다. 음식을 구걸해 먹어야 하는 것이다. 또 세 벌 이상의 가사와 한 벌의 발우 이외에는 아무것도 가져서는 안 된다. 또 한곳에서 3일 이상 머물지 못하며 사는 거처도 지나치게 커서는 안 된다. 이것이 바로 부처님 당시 전통이었다.

불교는 히말라야를 넘어 티벳, 중국으로 전해지면서 모습이 달라졌다. 예를 들어 중국이나 티벳은 인도보다 날씨가 춥기 때문에 승복을 더 가질 수 있다든지 탁발수행도 좀 유연성이 첨가되었다.

어떤 것이든지 한문화가 다른 문화에 전파되면 그 나라 특유의 토착문화와 섞여 고유의 새로운 문화를 만들어내듯이 불교도 마찬가지다.

중국 불교는 기존의 도교나 유교와의 충돌도 경험해야 했다. 본래 인도 불교 전통에서는 조상들을 위한 염불 같은 것은 없다. 그런

데 중국에 오면서는 유교와 결합되어 승려들이 조상을 위한 염불기
도를 한다.

불교는 또 티벳이나 한국에 오면서 토착 샤머니즘 문화와 접목되
었다. 승복의 색깔과 디자인에서부터 탁발문화, 승가 조직, 승려와
신도들간의 관계, 이 모든 것이 각자 그 나라 특유의 문화와 결합되
어 새로운 얼굴로 태어나는 것이다.

그러나 그렇다고 해서 본래 문화를 전파한 쪽에서 우리 문화를
왜 그렇게 변질시켰느냐고 따지지 않는다. 인도 승려들이 중국 승려
에게 따지지 않듯 그리고 한국 승려들이 일본 승려에게 따지지 않듯
말이다.

한 가지 주목할 것은 불교가 기독교의 전파와는 사뭇 다른 양상
이었다는 것이다. 사실 기독교의 전파는 '전쟁'을 수반한 것이 많았
다. 토착 전통을 억압하고 없애는 방식 때문에 피를 부르기도 했다.

미국의 초기 역사 역시 '신의 이름으로'라는 미명하에 수많은 원
주민들이 살해되고 축출되었다. 단지 그들이 믿고 있는 신이 백인들
이 믿는 신과 다르다는 이유로 말이다.

그러나 불교는 그러한 전쟁의 역사가 없다. 그 이유는 바로 불교
가르침의 유연성에 있다. 부처님께서도 살아 생전 가르침을 펴실 때
제자들의 조건과 상황, 경험에 따라 아주 융통성 있게 가르침을 설
명하셨다. 가르침의 기본 방향만 옳다면 모양이 어떻게 변하든 전혀
상관하지 않는 게 불교 전파의 특색이다.

그렇다면 서양의 불교는 어떤 모습인가.

중국 불교가 한국에 전해진 시기는 서기 372년으로 고구려 시대
라고 하는 게 학자들의 추정이다. 백제를 거쳐 신라로 간 게 528년

이다. 한국 불교도 제대로 한국 불교다운 모양과 틀을 갖추는 데 최소한 5백 년, 6백 년이 걸렸다.

중국, 일본, 티벳 승려들이 서양에 불교를 전한 시기를 대략 1800년대라고 본다. 아무리 거슬러 가도 서양의 불교 역사는 고작 200여 년밖에 안 된다. 더군다나 미국에서 불교가 본격적으로 대중들에게 파고든 것은 1950년대이다. 그때에는 아시아 이민자들이나 관심을 가졌지 미국인들은 별로 관심이 없었다. 그러다 1970년대가 되어서야 비로소 미국인들에게 불교가 신사상으로 받아들여지기 시작한다. 이렇게 따지면 미국의 불교 역사는 50여 년 정도밖에 안 된다고 하는 게 맞는 얘기다. 따라서 현재 서양의 불교를 보고 '저건 불교가 아니다'고 얘기하는 것은 억지다.

당연한 얘기지만 서양사회는 동양과 문화가 다르다. 우선 서양사회는 동양보다 덜 권위적이다. 동양에서 불교 전통은 아무래도 유교 전통과 맞물려 발전되어왔기 때문에 사찰문화도 유교적 질서가 강조되어왔다. 신도와 승려와의 위계 질서가 명확하고 승려들 사이에도 비구와 비구니, 출가 햇수에 따라 엄격한 규율이 있다.

그러나 서양은 그런 권위적 전통이 약하다. 또 서양 사회는 남녀평등 사회다.

큰스님이 미국 포교를 시작했던 1970년대는 이미 미국에서 '성의 혁명'이 일어나고 난 뒤였다. 여성의 지위는 급격하게 향상되었고 '성'과 무관하게 동등한 인간으로 대접해야 한다는 사회적 공감대가 이미 형성되었다. 큰스님도 처음엔 비구, 비구니를 구분하는 한국 불교의 전통적 방식을 도입하셨다. 그러나 곧장 반발이 왔다. 큰스님은 이들의 말을 경청했고 미국적 상황에 맞게 바꾼 것이다.

큰스님뿐만이 아니다. 일본의 스즈키 로쉬, 사사키 로쉬, 마에즈미 로쉬를 비롯해 티벳의 달라이 라마, 촉얌 트룽파(Chogyam Trungpa) 등등 포교를 위해 미국으로 온 불교 선사들 모두 가르침 공동체 안에 남자와 여자를 구별하지 않았다. 여성들은 남성들과 똑같이 법을 받아 가르칠 수 있으며 공동체 안의 리더로 일할 수 있는 것이다.

부처님 살아 생전, 여성은 한때 출가조차 허용되지 않았다.

그러나 그것은 당시 문화적 배경에서 비롯된 것이다. 당시에는 여성이 그들의 부모와 형제 자매를 버리고 심지어 '섬기고' 있던 남편을 버리고 혹은 결혼조차 하지 않고 가족을 떠난다는 것은 있을 수 없는 일이었다. 당시 불교공동체에 속했던 남성들은 여성이 출가를 하면 공동체는 곧 문란해질 것이라며 일제히 반대했다. 남성들의 출가 역시 가족이라는 울타리에서는 큰 충격이 될 수 있지만 이미 바깥 생활에 익숙해 있었기 때문에 출가라는 것도 그 바깥 생활의 연장선에서 생각할 수 있었지만 여성들은 가정을 지키는 마지막 보루로서 여자들이 출가를 하게 되면 가정은 누가 지키느냐 하는 문제제기였다.

부처님은 여성의 출가를 허용하면서 많은 문제가 나오리라는 것을 알고 있었다. 많은 여성들이 불제자가 되어 출가를 했지만 '내 딸을 돌려달라' '내 아내를 돌려달라'고 항의하는 사태까지 발생했다. 분노한 가족들과 남성들은 불자들의 공동체를 파멸시켜 버리겠다고 위협하기까지 했다. 부처님은 이같은 상황에서, 여성들에게는 좀더 많은 계율을 줘 인도 사회가 급격한 혼란에 빠지지 않도록 한 것이다. 이것은 내 이야기가 아니라 많은 불교학자들의 일치된 견해다.

지금은 그때와는 양상이 판이하게 다르다. 만약 석가모니 부처님이 내일 아침 뉴욕의 거리에 나타나 '비구니는 비구에 절대 복종해야 한다'고 가르치신다면 아마 데모가 일어날 것이다. 그렇다고 부처님의 가르침의 본질이 바뀐 것은 결코 아니다.

서양에서 불교를 접하는 사람들의 공통점 중에는 비록 불교가 나를 찾게 해주는 큰 가르침이긴 해도 그 문화적 차이 때문에 섣불리 다가가지 못하는 사람들이 꽤 있다. 마치 내가 어렸을 적 하느님과 예수님의 가르침에 대해서는 큰 믿음을 갖고 있었으나 신부, 수녀님, 목사님들의 잘못된 행동이나 교회공동체를 보고 약간의 실망을 했듯 말이다.

성인이 되어서 불교를 접하고 젠센터에 드나들기 시작하면서 나는 불교의 근본 가르침이 옳아도 그 포교방식이 낡고 뒤떨어진 어떤 계율을 강조하는 것이라면 과감히 뛰쳐나오려고 생각했다. 특히 위계나 규율을 강조하는 동양문화에 대한 거부감이 많았다.

그런데 나와 같은 생각을 가진 사람들이 의외로 많았다. 더구나 미국인들이 누구인가. '자유'에 목을 매다시피 하는 사람들 아닌가. 불교의 가르침을 받아들이면서도 그것이 자기의 삶을 옥죈다든지 하는 생각이 들면 가차없이 버리는 이들이 그들이다. 그리고 모든 불교 전통이 새로운 것이기 때문에 그들에게는 온통 의문투성이이다. 염불은 왜 하는지, 법당에 왜 화려한 금불상이 있어야 하는지, 왜 발우공양 같은 것을 해야 하는지 꼬치꼬치 따지고 캐묻는다.

하다못해 앞에서도 잠깐 내 경험을 통해 설명했지만 땅바닥에 엎드려 절하는 것조차도 동양 사람들에게는 자연스러울지 몰라도 우리 같은 서양인들에겐 납득하기 힘든 전통이다. 그것은 옛날 고대시대에 노예가 주인에게 복종을 맹세할 때 했던 동작이기 때문이다.

따라서 서양, 특히 미국에 불교를 포교하러 온 사람들은 우선 미국인의 의식, 그들이 어떤 문화적 환경에서 어떻게 살아왔는지를 우선 알아야 한다. 좋은 의사란 환자의 상태를 우선 제대로 아는 사람이다. 그런데도 많은 사람들은 오직 자기식대로 포교를 한답시고 와서는 실패를 하고 돌아가는 것이다. 한국만 예로 들어본다면 숭산 큰스님을 제외하고는 한 분도 미국에 와서 제대로 포교를 하신 분이 없다고 감히 생각한다. 그런데 어떻게 큰스님이 한국 불교를 버렸다고 얘기할 수 있는가.

내가 자주 받는 질문들 중 하나는 티벳 불교가 미국에서 왜 그렇게 인기가 있는가 하는 것이다.

그 이유는 아이로니컬하게도 티벳은 지금 나라가 없기 때문이다. 현재 전세계에 퍼져 포교를 하고 있는 티벳 승려들은 난민들이다. 그러다 보니 그들에게는 '우리 나라' '우리 불교' 하는 사고방식이 없다. 나라가 없다 보니 온 나라가 그들의 나라인 것이다.

그렇다고 티벳 문화가 죽고 있느냐 하면 그건 아니다. 오히려 전세계에서 꽃피고 있다. 중국 정부가 티벳을 침공하면서 사원 6천여 개를 파괴했지만 티벳 사찰은 전세계에서 세워지고 있다.

'버릴 때 얻는 것'이라는 역설은 여기에도 들어맞는 말이다.

에필로그

최근에 동양과 서양사회를 특징짓는 기본적인 가치들에 대해 논쟁이 일고 있다. 유명한 싱가포르의 이광요 총리, 말레이시아의 마하티르 총리를 비롯해 한국과 일본, 서양학자들까지 이른바 '아시아적 가치'를 규명하려고 노력한 바 있다.

한때 아시아 경제 성장의 견인차 역할을 했다는 긍정적 평가가 지배적이었던 아시아적 가치는 최근 아시아에 경제 위기가 한꺼번에 몰아닥치면서 마치 곧 쓰레기통에 버려야 할 폐기물로 전락된 느낌마저 든다.

그러나 나는 우선 결론부터 말하자면 '아시아적 가치'에 대해 아주 높은 점수를 주는 사람이다. 그리고 한편에선 한국을 비롯한 아시아 국가들이 갑자기 불어닥친 경제 위기를 두고 자책감과 의기소침에 빠져 있는 것 같아 안타깝다. 물론 아시아 나라들의 사회 시스템에 문제가 없다는 얘기가 아니다. 한국에도 고칠 것들이 많다. 오죽했으면 얼마 전 한 일본인 저널리스트가 쓴 한국인 비판이 베스트셀러가 됐을까.

그러나 내가 얘기하고 싶은 것은 모든 일이 그러하듯 문제를 풀기 위해서는 당면한 우리의 현실을 제대로 보아야 하고 그럴 때 올바른 해답이 나온다는 것이다. 비판이 지나쳐 자책으로 이어지면 곤란하다는 것이다. 각종 사회 문제는 동양에만 있는 게 아니다.

그러나 동양인들은 자기들의 문제를 해결해야 한다는 강박이 지나쳐 그들 자신이 갖고 있는 엄청난 보물을 깨닫지 못하고 있다. 모든 사람들은 '미국인'이 되고 싶어하고 5천 년 문화전통을 버리고 싶어하며 전 사회 시스템을 미국 스타일로 바꾸고 싶어한다. 글로벌 스탠더드가 곧 아메리칸 스탠더드로 인식될 정도다. 뭔가 잘못되어도 크게 잘못된 일이다. 요즘 서양 사람들은 자기들 고민의 해결을 위한 단서로 동양에서 실마리를 찾고 있는데 말이다.

지난 3세기 동안 아시아를 지배해온 서양 군대, 문화, 종교, 금융, 정치적 지배력은 심각하고 비극적인 결과를 낳고 있으며 점점 더 확대 재생산되고 있다.

많은 아시아 사람들은 그들의 문화가 서양보다는 뭔가 뒤처졌다고 느끼고 있다. 특히 나는 많은 한국 사람들이 이른바 'IMF'의 집중포화를 맞은 뒤로는 그들 자신의 문화적 기반에 뭔가 문제가 있다고 생각하는 것을 보아왔다. 물론 엄정한 자기 비판과 새로운 사고방식이나 가치관에 대한 개방은 언제나 필요하다. 만약 한국인들이 성장하길 원한다면 그들 자신의 사회 문화적 약점을 찬찬히 들여다보는 것은 당연한 일이다.

하지만 요즘 한국 상황을 자세히 보면 많은 한국 사람들은 자기 비판이 지나쳐 자기학대에까지 이르지 않았나 하는 생각이 들 정도다. 이것은 곧 치명적인 자기파괴로까지 이어질 수 있다는 게 나의 걱정이다.

신문 방송에서는 한국에 지금 어떤 문제가 있고 어떤 환부가 있는지 들추어내기 바쁘다. 그러면서 해답의 실마리를 서양적 가치에서 찾는 듯하다.

나는 지나친 서양 따라잡기의 구호들이 한국의 5천 년 문화전통을 간과하는 것 같아 안타깝다.

이 책을 쓰는 동안 나는 여러 번 그만두고 싶었다. 수행자의 입장에서 책을 내고 한다는 일이 옳지 않은 일처럼 느껴졌기 때문이다. 입을 굳게 닫고 깊은 산속에서 조용히 살아야 하는데 무엇 때문에, 무엇을 위해 책을 내려고 하는지 나 자신조차 설득할 수가 없었기 때문이다.

그러나 나는 그동안 한국에서 살면서 왜 내가 스님이 되었는지를 설명해야만 하는 때가 많았다. 수많은 사람들이 내게 "왜 스님이 되었느냐" "왜 하필이면 한국 불교를 택하게 되었느냐"고 물어왔다. 하루에도 몇 번씩 지하철과 거리에서, 식당에서, 많은 사람들과 부딪치는데 적어도 열 명은 내게 말을 걸어온다. 간단한 통성명이 끝나면 으레 내게 와 꽂히는 질문들이 바로 그것들이다.

나에 대한 호기심과 관심이 고맙긴 하지만 그들의 질문 뒤에는 미국 중산층 가정에서 자란 내가 예일 대학과 하버드 대학원에서 좋은 교육을 받고, 원한다면 무엇이든 가질 수 있었을 텐데(갖는다는 게 도대체 뭔지는 모르겠지만) 그 모든 것을 버리고 낯선 땅, 낯선 사

람들과 그것도 수행자로 살아간다는 일이 언뜻 이해가 안 된다는 느낌을 갖고 있었다.

사실, 처음엔 그들의 질문에 일일이 대답하고 싶지 않았다. 오히려 피하고 싶었다. 그런데 차차 시간이 흐르면서 나는 그럴 일이 아니라고 느껴졌다. 이젠 뭔가 설명해야 하지 않을까 하는 강한 의무감 같은 게 일었다. 더구나 작년(98년) 겨울 조계사 사태를 겪으면서 이런 나의 생각은 더욱 강해졌다. 그즈음 지리산 상선암이라는 곳에서 백일 기도를 하고 있어 나는 서울로 돌아와서야 그 소식을 들었는데 얼마나 슬펐는지 모른다.

미국에 계신 어머니는 "〈뉴욕 타임스〉를 통해 한국의 조계사 사태를 알고 있다"고 하시면서 "네가 그렇게 자랑스러워하는 한국 불교가 이런 것이냐"고 편지로 물어오셔서 당황하기까지 했다. 무엇이라고 설명해야 할지 대답을 못 찾았다.

나는 물론 한국 불교를 잘 모른다. 한국을 고향처럼 생각하고 있지만 그건 내 감정이고, 어쨌든, 나는 외국인이고 손님이다. 따라서 내가 한국에 대해, 한국 불교에 대해 이러쿵 저러쿵 얘기하는 것은 건방진 일이고 무례한 일이다.

어떻게 감히, 내가…….

그러나 나는 그동안 많은 한국 사람들과 만나면서 그들이 뭔가 잘못 생각하고 있다는 것을 알게 되었다. 나와는 너무 다른 인식의 차이가 있다는 것에 놀랐다. 그것은 아이로니컬하게도 정작 손님인 나는 이 땅을 너무 사랑하고 있는데, 그들은 이 땅에 너무 익숙해져서 싫증을 내고 폄하하고 있다는 것이었다. 더구나 경제 위기가 가져다준 그들의 절망은 "한국은 더이상 안 돼" "한국은 가능성이 없어" 하는 자기비하로 이어졌다.

아니, 이 한국이란 나라가 얼마나 위대한 나라인데, 그리고 지금
껏 그들이 흘려온 피와 땀이 얼마나 대단한 것인데, 그것을 그렇게
한꺼번에 헐값에 도매금으로 평가절하할 수 있을까.

내 비록 푸른 눈을 가진 객(客)이지만, 내가 얼마나 한국을 자랑
스럽게 생각하고 있고 큰스님의 나라인 한국에 대해 죽을 때까지 내
가 할 수 있는 모든 일을 하고 싶어한다는 마음이 있다는 것을 조금
이라도 알린다면 절망과 실의에 빠진 한국인들에게 한 가닥 희망이
될 수 있지 않을까 하는 생각이 들었다.

나는 한국의 산천을 비교적 많이 돌아다녔다. 사찰들도 꽤 많이
가보았다. 사찰들 앞에는 예외없이 영어로 된 안내판이 서 있다. 이
절은 언제 누가 세웠고 절의 역사는 어떻고 하는 간략한 설명이 들
어 있다. 그런데 한국의 절들은 하나같이 고난과 파괴의 역사로 점
철되어 있다.

'이 절은 임진왜란 때 불탔다가 중건되었다.'

'이 절은 몽고군의 침략으로 파괴되었다가 다시 세워졌다.'

'이 절은 한국전쟁 때 소실되었었다.'

이러한 문구들을 읽을 때마다 내가 느끼는 감정은 두 가지다.

어떻게 다른 민족을 한번도 침략하지 않은 이 나라 백성들이 이
렇게 외침에 의한 고난에 찬 역사를 가질 수 밖에 없었는지 하는 것
이고 그럼에도 불구하고 절들은 어김없이 '다시 세워졌다'는 것이
었다.

파괴와 소실에도 아랑곳없이 절은 언젠가 반드시 중건되었다는

것이 외국인인 나에게는 감동과 충격을 안겨다주었다. 바로 그것은 한국인들의 불굴의 정신, 끈기라는 위대한 정신을 대변하는 것에 다름 아니기 때문이다. 무수한 전쟁 속에서도 전쟁이 끝나면 다시 일어서는 한국인들의 용기, 그리고 그들의 정신 속에 내려오는 5천 년 문화유산을 나의 친구들에게 알려줘야겠다는 생각이 들었다.

그리고 이제 한국의 정신문화는 숭산 큰스님이라는 용광로에 녹여져 미국에서 서서히 꽃을 피우려 하고 있는 것이다. 이 얼마나 대단한 일인가. 알려지지 않아서 그렇지, 지금 미국 사람들이 얼마나 한국 문화를 좋아하고 한국 문화에 관심을 가지려 하는지 여러분은 잘 모른다. 그런 와중에 터진 조계사 사태나 경제 위기에 따른 한국인들의 절망은 사실 내게 당혹스러운 것이었다.

내 삶에 대한 부끄러운 이야기를 지루하게 털어놓기로 한 것은 바로 이 때문이었다.

내가 얼마나 한국 문화에 빚을 진 사람이며 이제 그 빚을 갚으면서 살기로 했다는 것을 좀 알려드리고 싶었다. 불가 전통에 따르면 스님이 된다는 것은 곧 '나'를 버리는 것이다. 그러므로 출가 이전의 '나의 생활'이란 없어진 것이다.

나의 나쁜 업 때문에 이렇게 출가 이전의 나를 털어놓게 되었다고 생각한다. 그 이유는 바로 육체를 주신 내 부모님만큼이나 가르침을 주신 부처님과 예수님을 사랑하고 그리고 무엇보다 한국의 불교와 정신에 눈뜨게 해준 큰스님을 비롯한 모든 한국인들에게 죽는 날까지 깊이 감사하다는 것을 말하고 싶었기 때문이다.

큰스님이 푸른 눈의 우리들을 가르치는 동안 전세계로 다니시다 보니 많은 한국 사람들이 큰스님에 대해 알지 못하고 특히 그 위대한 가르침도 접하지 못했다. 안타까운 일이다.

큰스님의 지칠 줄 모르는 열정과 희생을 통해 이제 전세계 사람들은 삶의 희망과 용기를 갖게 되었다. 그러니 이제 나의 일이란 바로 그 위대한 가르침을 한국인들에게 다시 알리는 일이다. 그것이 내가 큰스님에게 진 빚을 갚는 일이기도 하다. 물론 위대한 불교 전통을 가진 한국에는 살아 있는 부처님들이 많이 계신다. 내가 믿는 가르침만이 옳고 내 스승만이 옳다는 이야기는 아니다.

다만 내가 걷고 있는 이 길을 보다 많은 사람들과 함께 고민하고 얘기하다 보면 이 불안과 혼돈의 세기말 시대에 진정 우리가 가야 할 길이 어떤 길인지 찾을 수 있지 않을까 하는 소박한 바람이 있다.

진리의 길, 구도의 길

나는 어린 시절부터 줄곧 진리가 무엇인지 찾고 싶었다.

왜 사는지, 왜 태어났는지, 이 생에서 나는 무엇을 해야 하는지 하는 생각들로 가득했다. 더욱 풀리지 않는 의문은 '죽음'에 관한 것이었다. 왜 사람은 죽어야 하는가? 왜 내가 사랑하고 아끼는 모든 것들이 결국에는 영원히 사라져야 하는가?

이런 근본적인 질문들과 함께 내가 처한 사회 · 문화적 환경 속에서의 '나'에 대해서도 고민이 많았다.

가장 부유하고 가장 강력한 나라에서 태어나고 자란 미국인의 한 사람으로서 철이 들 무렵부터 텔레비전과 신문의 뉴스를 접하며 왜 다른 나라 사람들은 우리처럼 안락하고 안전하게 살지 못하는 것일까? 풍요와 기회 속에서 마음만 먹으면 나는 내가 원하는 모든 것을 가질 수 있는데 왜 다른 나라 아이들은 나와 다른 환경에서 태어나고 자랐다는 이유 하나만으로 전쟁과 폭력과 싸움의 한가운데서 허우적대야 할까? 내게는 맛있는 음식이 많은데, 왜 어떤 아이들은 먹을 것도 제대로 못 먹는 아프리카에서 태어난 것일까? 나는 도대체 무슨 자격으로 이런 걸 누리고 있는 것일까?

만약 내가 그런 혜택을 누릴 만한 그 어떤 특별한 일을 하지 않았고, 다른 나라 아이들 역시 그런 불행에 상응하는 어떤 나쁜 짓을 하지 않았다면, 그건 논리나 합리성이 결여된 것이다. 따라서 이 생이란 아무 의미가 없는 것일지도 모른다.

그 의미 없는 태어남과 의미 없는 죽음 사이에서 우리가 행하는 모든 일들 역시 마찬가지로 의미가 없는 게 아닐까? 그렇다면 도대체 이 세상이란 무엇인가?

많은 종교들이 이러한 질문들에 쉬운 답을 제공했다. 오랫동안 나는 그러한 쉬운 답들을 받아들였다. 그러나 그 종교에서 주는 답이란 결국 '무한히 선한 존재가 이 우주를 창조했으나 어떤 무한히 악한 존재가 이 우주를 파괴해왔다'는 것이었다.

나는 그러한 선과 악의 관념을 믿었다. 신이 이 세상의 선하고 성스러운 모든 것을 만들었다고 믿었으며, 악과 괴로움과 고통과 전쟁 등은 '다른 어떤 외부의 존재'로부터 왔다고 믿었다. 오랫동안 나는 이 세상에서 오직 한 권의 책만이 절대적 진리를 담고 있다고 믿었다. 비록 우리의 생이 상상하기 힘든 고통으로 가득 차 있기는 하지만 우리는 사랑이 가득한 신에 의해 만들어졌기 때문에, 그리고 그 신께서는 우리에게 더 큰 가르침을 주시기 위해 한편에서는 전쟁과 병과 싸움으로 가득한 세상을 만들어 아기들이 태어나고 살아가게 한다는 것을 굳게 믿었다. 아니, 믿기를 바랐으며, 믿기를 기도했다.

그리고 몇 년 동안은 믿을 수가 있었다.

　서양 철학을 공부하면서 나는 내가 갖고 있었던 의문들에 대해 보다 더 명확한 답을 발견하기 위해 노력했다. 예일 대학과 하버드 대학원에서 공부를 계속한 것도 그를 위한 것이었다. 하버드 대학원의 모토는 'VERITAS'이다. '진리'라는 뜻이다. 예일 대학의 모토는 'LUX et VERITAS'이다. '빛과 진리'라는 뜻이다. 이것들은 예일 대학과 하버드 대학원의 도처에 있다. 건물에도, 벽에도, 길에도 씌어 있으며 게시판과 학교 버스에도 씌어 있다. 교과서에는 물론이고 펜, 셔츠, 바지, 커피잔, 메모장, 모자, 양말, 넥타이, 장갑에도 나타나고, 심지어 속옷에도 씌어 있다.
　'진리' '빛과 진리' '진리' '빛과 진리' '진리' '빛과 진리' '진리' '빛과 진리' ……

　나는 공부를 계속하면서 마음속에 갖고 있던 질문들이 어떤 답을 얻게 될 것인지에 대해서는 신경 쓰지 않기로 했다. 다시 말해서, 어떤 특정한 종교를 나의 목표로 삼지 않았다는 이야기다. 기독교인으로 남고자 애쓰지 않았으며, 그렇다고 거부하지도 않았다. 내가 무슨 일을 해야 한다 할지라도, 나는 오직 진리, 즉 베리타스를 찾기만을 원했다. 그것을 기독교 안에서 찾을 수 있다고 한다면, 그건 좋은 일이었다. 또 다른 어떤 것에서 그것을 찾아야만 한다면, 그것 역시 좋은 일이었다. 나는 내가 찾는 것의 바깥 모양에는 개의치 않았다. 진리를 찾는 일만이 중요했다.

그러던 1987년 어느 날.

예일대 신학대학교에 다니는 개신교 목사인 한 친구가 나에게 책을 한 권 주었다. 《선의 마음, 초발심》이라는 책이었다. 그 책은 내가 처음으로 접한 불교 서적이었다. 나는 매우 강한 인상을 받았다.

그리고 2년 뒤인 1989년 겨울.

나는 하버드 대학원에서 머리를 빡빡 깎고 회색 옷을 입은 한 키 작은 한국 사람을 만났다. 그는 말했다. 자기는 아주 멀고 조그만 나라 한국의 수도 서울에 있는 '화계사'라는 절에서 살고 있다고.

그의 가르침은 나를 완전히 충격에 빠뜨렸다. 그의 가르침은 내가 평생 들어온 말 가운데 유일하게 참되고 정직한 말이었다.

그분은 현재 서울 화계사 큰스님이신 숭산 행원 대선사님이시다.

나는 큰스님의 가르침이 진실로 귀하고, 진실로 참된 가르침이라는 확신이 들었으므로 나의 전 생을 그 가르침에 따라 살기로 했다.

이 책은 내가 어떻게 이같은 진리의 도정을 걸어왔는가 하는 것에 대한 이야기이다. 미국 뉴저지 주의 전형적인 중산층 가정에서 태어나 예일 대학과 하버드 대학원을 졸업하고 뉴욕, 파리, 보스턴을 경유하여 결국 한국의 절들 ― 서울 화계사, 충남 계룡산 신원사, 그리고 지리산에 자리잡은 조그만 암자 ― 에서 수행하는 삶을 택하기까지 나의 여정에 관한 이야기인 것이다.

사실 이 글을 쓰는 지금까지도 책을 내는 일이 주저된다. 수도승이 더군다나 아직 풋내기인 내가 살아온 여정을 쓴다는 것은 아무래도 너무 건방진 일이기 때문이다.

그러나 참으로 우연하게 일이 이루어졌다.

지난 봄, 나는 한국의 한 친구와 함께 숭산 큰스님의 영어 법문집인 《선의 나침반》을 한글로 번역하고 있었다. 내가 출판하고 싶어한 책은 바로 이 책이다. 나 자신의 말이 아니라 나의 스승의 말씀이다. 그러나 그 책은 너무 방대했다. 그리고 애초에 미국에서 출판되었기 때문에 한국의 출판사가 출판 제안을 받아들이기에는 비용이 너무 많이 들었다. 책이 매우 유익하다 할지라도 분량이 워낙 많기 때문에 책을 내면 출판사로서는 적자를 보게 될 뿐일 것이라고 여러 사람들이 말했다. 그런 가운데 한 출판사에서 고맙게도 《선의 나침반》을 출판하겠노라고 제안해왔다. 이와 함께 현재 숭산 큰스님이 얼마나 위대한 분인지, 그리고 현재 수많은 서양 사람들이 얼마나 큰스님의 말씀에 귀를 기울이고 있는지 나 자신의 삶을 통해 얘기하면 한국 불교를 세계화하고 경제 위기로 실의에 빠져 있는 한국 사람들에게 큰 힘이 될 것이라는 도반들의 조언이 있었다.

그렇게 해서 먼저 이 책이 나오게 되었다.

나는 나의 스승의 위대한 책인 《선의 나침반》이 내년 상반기중 한국 사람들에게 다가갈 수 있도록 하기 위해 이 일을 했다. 그것이 나의 가장 큰 바람이다.

나는 미국인 스님인 내가 한국 사람들에게 한국의 불교 전통에 대해 얘기한다는 게 영 이상하고 쑥스러운 일이라고 생각한다. 그러나 한국이 요즘처럼 미국 사회를 교과서나 되듯이 쫓아가려고 하는 마당에 한국인들에게 바깥이 아닌 바로 자신들 안에 위대한 보물이 있다는 것을 알리고 싶었다.

현재 대단히 많은 서양인들이 불교에 관심을 가지고 있다. 그리고 대단히 많은 외국인들 ─ 대부분 교육 수준도 높고 경제적 어려움 없이 자란 중산층 인텔리들이 많다 — 이 한국에 와서 이 전통을 배운 다음, 자기네 나라로 가지고 돌아가고 있다는 것을 이야기하고 싶었다.

나는 우선 숭산 행원 대선사님께 한없는 깊은 존경과 감사를 표한다. 또한 계룡산 신원사의 벽암 큰스님께도 한없는 감사를 표하는 바이다. 화계사의 주지인 성광스님, 선덕스님과 도관스님을 비롯한 화계사의 모든 위대한 스님들과 신도들, 전남 곡성 관음사 지인스님께도 머리 숙여 감사한다.

이 책은 허문명 씨의 헌신적인 도움이 없었더라면 세상에 나오지 못했을 것이다. 숭산스님의 가르침을 따르는 도반의 한 사람으로서 그는 수없이 많았던 우리의 영어 대화를 구술, 번역 정리하고 편집하여 이 책에 실었다. 우리는 한국 사회, 미국 사회는 물론 종교 · 사회 · 문화, 삶과 죽음 등 모든 것을 같이 이야기했다. 그의 열정적인 작업과 마르지 않는 실험 정신은 나의 아둔하고 재미없는 삶과 생각들을 훌륭한 솜씨로 다듬어 주었다. 그는 앞으로 이 나라에 도움이 되는 훌륭한 많은 일들을 펜으로 이루어낼 위대한 지성이라고 나는 믿는다. 이 책에서 잘된 부분이 있다면 그것은 나의 진정한 친구인 그에 의한 것이며, 모든 실수는 전적으로 나 자신의 몫이다.

수덕사의 주지이자 서울 포교당인 강남구 논현동 무불선원 이사장인 법장스님과 마포구 법화정사 도림 큰스님, 그리고 지난 여름과 가을 이 두 곳 사찰에서 진행됐던 내 강연을 들어준 모든 사람들께도 감사드린다.

이 책의 집필은 서울 인사동 〈지대방〉이라는 찻집에서 전부 이루어졌다. 주인 오영순 보살님의 친절한 도움과 후원에 감사한다. 그리고 수년 동안 끊임없이 나를 도와주고 계신 김영현 씨께도 심심한 감사의 마음을 전한다.

정중모 사장님과 정은숙 주간님을 비롯한 〈열림원〉 편집부와 사진작가 김홍희 님께도 감사한다.

이 책의 판매를 통해 얻은 수익금은 모두 숭산선사의 많은 서양 학생들을 통해 한국 불교 — 한국 불교의 가르침과 예술적 전통과 문화 — 를 전세계에 전파하는 일을 지원하는 데 쓰일 것이다. 한국의 고대 불교 전통을 전파하는 일이 다른 나라들로 하여금 이 위대하고 아름다운 나라의 무궁무진한 풍요로움을 보다 깊이 깨닫게 하는 데 기여하기를, 그리하여 '우리나라'의 평화 통일을 앞당기는 데도 기여하게 되기를 간절히 기원하면서…….

1999년 10월

서울 화계사 국제선원

현각 합장